정원

https://brunch.co.kr/@envywolf

무질서하고, 초라하고, 유익하지 않은 글을 쓰고 싶습니다.

교정/교열/윤문은 Chat GPT 4o의 도움을 받았습니다.

바닥짐

발 행 | 2024년 4월 25일
저 자 | 정원
펴낸이 | 한건희
펴낸곳 | 주식회사 부크크
출판사등록 | 2014.07.15.(제2014-16호)
주 소 | 서울특별시 금천구 가산디지털1로 119 SK트윈타워 A동 305호
전 화 | 1670-8316
이메일 | info@bookk.co.kr

ISBN | 979-11-410-8278-9
본 책은 브런치 POD출판물입니다
https://brunch.co.kr
www.bookk.co.kr

바닥짐

정원

ㅂ

CONTENT

여기에 적는 건 보통 밝은 인사를 쓰던데, 나는 지쳐있다.

밝은 인사가 가능하지 않다. 일기는 일기장에 쓰라고 한다. 이건 일기가 아니니까 책으로 썼다. 세상엔 내 입을 다물게 하는 게 참 많다.

어제는 시 쓰는 수업을 두 번째 듣고 왔다. 거기서도 일기 쓴다는 이야기를 들었다. 뭐라고 하시지는 않았는데 그냥 내가 내 입으로 "이건 시가 아니라 일기 같아요" 하고 나니까 처량하고 불쌍해졌다. 자존감을 올리라는데, 나는 태생이 이렇게 태어났는데 방법이 없다. 그냥 좋아하고 즐겁고 즐길 수 있는 걸 찾아서 할 뿐이지 갑자기 씩씩하고 자신 있게 뭐든지 척척 해낼 수는 없다는 말이다.

오늘은 하루 종일 음울하고 음침했다. 곰팡이 핀 벽지 같은 하루인데, 이 책 페이지 수가 잘못되어서 나는 페이지를 채워야 한다. 우울하게 지껄일 예정이니 보기 싫으면 넘겨도 된다. 글이 전부 엉망일 수 있다. 뭐 이딴 걸 글로 써놔서는 읽기 싫은 걸 돈 주고 사 읽게 만들었냐 싶다면 조금 미안해지기도 한다. 그건 그거고 이건 이거다.

이걸 뭐라고 하더라, 시 쓰기 선생님은 자동기술이라 하던가, 생각의 흐름대로 쓰는 거라고 했다. 이 책, 다시 말하자면 일기가 아니고 에세이도 아니다. 이건 들어가기 전에 내가 지껄이는 말이고, 나머지 내용들은 다 소설이다.

바닥짐

새라새[*]

---

[*] 새롭고도 새로운.

마을 전체가 한 아기를 키워주던 시절은 끝났다. 그나마 다행이라면 온 동네까지는 아니어도 온 가족이 도와주고 있었다. 덕분에 아이를 세 살까지 무사히 키웠다. '무사히.' 자주 쓰는 말이다.

아이를 어린이집에 보내는 순간이 인생의 수많은 이어달리기 중 기쁨의 첫 번째 바통터치였다. 집에서 무얼 해주어도 만족하지 못하는 아이와 더 해줄 것 없는 엄마는 그저 울고 또 우는 것밖에는 할 수 있는 게 없었다.

다행히 어린이집 생활에 빠르게 적응한 아이는 지루함에서 벗어났고, 덩달아 나도 신났다. 드디어 돈을 벌 수 있게 되었다. 대단하게 버는 건 아니었다. 배운 것이 없는 나는 어릴 적에도 생산직이었고, 이제 시작할 일도 생산직이다. 엄마가 지긋지긋하게 말했던 공장.

"소영아, 공장에서 일해. '다들' 공장 다녀. 그게 최고야."

뭐가 최곤데요? 반항하던 나는 사라졌다. 소영이가 아니라 '엄마'가 되면서.

공장의 기계 소리는 차갑고 규칙적이었다. 금속이 부딪히는 소리가 반복될 때마다, 내 머릿속에서도 무언가가 단조롭게 부서지는 것 같았다. 처음엔 이 일을 버텨낼 수 있을지 두려웠다. 그러나 시간이 지나면서 나는 무감각해졌다. 일과 육아, 두 가지 역할을 해내는 기계 같은 나날이 이어졌다.

첫 출근은 가벼운 마음이었다. 남편인 철호가 에멜무지로 시험 삼아 가보고 너무 힘들면 그냥 도로 집에 오라고 해주었기 때문이다. 말은 그렇게 하지만 이제 외벌이로는 아이를 키우기 힘들다. 내가 나와서 사발농사라도 지어야 된다는 이야기다.

일하러 간 곳은 화장품 포장 공장이다. 구식 붉은색 벽돌 건물로 처음 들어갔더니 남자 한 명이 있었다.

"여기는 아니고, 그 코스메틱 회사는 우리가 세를 내어준 공장이요. 저기 컨테이너 건물로 가봐요."

꾸벅 고개를 숙이며 감사 인사를 하고 더 안쪽 컨테이너 건물로 갔다. 일찍 사무실에 도착한 인사담당자가 나를 흐뭇한 표정으로 쳐다보았다. 출발이 좋구나 싶었다. 뿌듯했다. 잘했어.

하지만 그것도 잠시였다. 사무실로 화장이 진한 여자 한 명이 들어오더니 말했다.

"시간제는 안 뽑기로 했는데 왜 데려왔느냐고요."

성가시다는 이야기가 옥신각신 오갔다. 며칠 지나서 알고 보니 그 여자가 조장이었다. 나는 안 들리는 척, 안 보이는 척을 해야 했다. 엉뚱하게도, 정수기 있고 믹스커피가 있네. 그래. 저거면 되었다는 잡다한 생각을 했다.

시간이 조금 흐르자 비교될 정도로 깡마르고 순박하게 생긴 여자가 들어왔다. 내 담당 사수라고 그녀는 자신을 도혜숙이라 소개했다. 그녀는 공장 내부의 라인을 돌며 사람들을 소개해 주었다. 다들 밝은 인사들로 시작했다가 식사 시간이 다 되어갈 무렵에는 한껏 예민해졌다. 손이 엄청나게 느린 나를 두고 맛깔나게들 구박하였다. 하는 일의 이름도 모르고 무아지경으로 종이만 접고 있었다. 기다란 화장품갑의 양옆의 날개를 검지로 동시에 접은 뒤, 오른손 검지로 뒤에 있는 머릿종이를 접어서 안으로 밀어 넣는 일이었다. 이게 기계로 하는 게 아니었구나. 그래서 내가 여기 나온 거겠지. 신기했다.

식사 후엔 휴게실에서 배가 불러서 기분이 좋아진 하이에나 같은 선배들이 좋은 방법들을 전수해 주겠다며 주변으로 모여들었다. 아마도 공장을 나온 후 가장 많이 받았던 마지막 관심일 것이다. 마지막이었다. 관심이 없어진 상태가 당연히 좋았다. 여하튼 "쉰네에게 이런 대단한 정보들을!" 하며 한껏 과장해서 감사 인사를 드렸다. 선배들은 좋아했다.

배운 것들을 써먹으려 했으나, 괜히 이런저런 방법 섞여서 손이 더 느려졌다. 명찰에 직급이 과장이라고 적힌 사람이 지나가다가 내가 흘린 포장종이들을 주워 올리더니 한숨을 푹 쉬었다. 다른 공정으로 결국 쫓겨났다. 다행히 옮긴 곳은 적성에 맞았다. 훗날 알고 보니 신입은 큰 도움이 안 되는 자리였다. 도움이 되려면 손이 세 배는 빨라야 하는데, 시급 사원이고 놀게 할 수 없으니 사람 많은 곳에 처박았던 것이었다.

잠시라도 다른 생각을 하는 순간 옆에서 화장품을 종이갑에 담으면서 나는 기계 같은 '쿵, 쿵' 소리. 종이로 입구를 막고 나서 화장품을 눕혀서 보내느라 바닥에 '탕, 탕, 탕' 내리쳐지는 둘의 엇박자 소리에 정신을 빼앗겼다. 사람들은, 오전과는 다르게 구박을 안 하시는 분들만 모여 있어서 쾌적하게 끝냈다. 일했던 자리 정리를 끝내고 청소를 하고 나왔다. 청소하는 시간은 시급에 들어가나요? 다들 나를 외계인 쳐다보듯 보았다. 입을 잘못 놀렸구나.

퇴근 무렵에는 침착하게 일관성 있게 일을 알려준 혜숙 언니에게 매우 고마웠다. 감사합니다. 다섯 글자로밖에 표현할 수 없는 내 어휘력이 개탄스러웠다. 그녀는 내게 말했다.

"소영 씨, 고생하셨어요. 내일 나올 수 있겠어요?"

말씀하시는 것으로 미루어 보아 여기가 너무 힘들어 도망자들이 많았나 보다. 조금만 움직여도 육수 같은 땀이 줄줄 나오는 몸무게 90킬로인 띵띵한 여자가 내일은 나오지 않겠다 생각했겠지. 오기가 생겼다. 할 수 있을 것 같았다. 당연히 나오고 말고요. 내일 만나요. 씩씩하게 인사하고 헤어졌다.

딸을 하원시키러 어린이집에 갔다. 초인종을 눌렀다. 스피커에서 소리가 들렸다.

-네, 나리 반입니다.

"진달래 엄마예요."

선생님이 잠시만 기다려달라고 하셨다. 아이의 하원 준비를 하시는 동안 잠시 피곤한 다리를 접었다 폈다 했다. 삭신이 쑤셨다. 아이와 놀이터에서 놀아주고 집으로 돌아와 저녁을 차렸다. 온몸이 아팠지만 철호에겐 차마 힘들었다고 말하지 못했다. 힘들다고 말하면 '그렇게 일하지 말고 집에서 쉬지 뭐 하러 나갔냐'며 걱정 어린 타박을 할 것이 뻔하다. 걱정인 줄 알면서도 그것이 듣기 싫고 갇혀있는 기분이 들었다.

설거지하다가 문득 퇴근길에 만났던 봉선화, 해바라기, 맨드라미가 생각났다. 공사장 앞에 심겨져 있었다. 왜 심은 건지는 모른다. 덕분에 좋았다. 회사와 집 사이 정확히 가운데 위치한 꽃들. 출근할 이유가 하나 더 생겼다. 꽃이 필 때까지 안 잘리길 바랐다. 손이 내일은 빨라졌으면 좋겠다. 아이를 씻기고 수건으로 닦아주면서 말랑한 볼을 살짝 꼬집는 듯 집어 본다. 보드랍고 하얗고. 아이를 꼭 품에 안으니 술렁이는 마음이 가라앉았다.

13

자려고 누워 천장을 보았다. 내일은 종이를 엄청난 속도로 접는 상상을 했다. 혼자 어이가 없어서 피식 웃었다. 그게 뭐라고 잘하고 싶은 욕심이 들었다. 철호에게 오늘 일을 조잘조잘 떠들었더니 내가 이야기하는 걸 오랜만에 봐서 좋다고 했다. 그도 내가 육아로 짜증만 내다가 다른 이야기를 해서 기뻤나 보다. 오늘도 하루가 끝난다.

바닥짐

거루*

---

* 돛이 없는 작은 배.

아침에 출근한 나를 보고 사람들의 표정이 모두 놀라움으로 가득했다. 열댓 명 정도 되었던 것 같다. 그중 환하게 웃어주시는 분이 다섯 명 정도. 어제 다시 안 볼 거라 생각하고 그렇게 매정들 하셨나 보다. 한결 누그러진 분위기라 기분이 좋았다. 내가 전날 했던 일의 이름을 몰랐는데 오늘에야 알았다. 접지(摺紙). 화장품 포장곽의 윗부분을 접어 라벨 붙이는 사람에게 패스하는 일이었다. 오늘 새로 온 사람이 있었다. 아직 명찰조차 없었다. 어제의 나. 그녀는 내가 하던 자리에서 접지를 하고 있었다. 울 듯 말 듯한 표정을 보았다. 어제의 나. 다시 봐도 그랬다.

공장에서의 점심식사는 일하는 컨테이너 건물을 나와서 대각선의 아주 옛날 느낌이 나는 붉은 벽돌로 지은 건물로 건너가야 한다. 낡아서 부서져 내리는 계단은 아주 위험해 보였다. 내려가면 공간이 하나 나온다. 바닥은 어린 시절 학교 복도 바닥처럼 검은색, 회색, 하얀색 점들이 박혀있고, 금색의 실선들이 여기저기 그어져 있었다. 식당에서 사장님이 오셔서 급식처럼 차려놓은 걸 보고 신기했다. 말만 들어봤지 함바집 음식은 처음이었다. 어차피 돈 주고 먹는 음식도 아니었고, 맛없는 회사 급식보다는 나았다. 결혼을 하고 나서는 초라하건 반찬이 한 가지건, 상관없이 남이 차려주는 음식이 미친 듯이 맛있었다. 철호는 음식을 썩 잘하긴 하지만, 어지럽힌다. 음식 하나를 하면 설거지가 내가 음식 했을 때보다 세 배는 쌓인다. 하지만 그는 설거지는 하지 않는다. 싫으면 싫다고 하면 되는데 그런 말조차 하지 않고 쌓아만 둔다. 내 화도 쌓인다.
점심을 먹고 잠시 퍼질러져 앉아 있었다. 첫날인 어제는 여벌 유니폼이 없어 작은 사이즈를 입었다. 타이어 회사의 캐릭터처럼 울룩불룩한 뱃살이 신경 쓰였다. 그래도 지급받은 거라 어제 열심히 빨아오긴 했다. 오늘 출근한 나를 보고 혜숙 언니가 큰 사이즈 유니폼을 챙겨주셔서 드디어 뱃살을 가리니 행복했다. 오후에는 다른 라인 접지를 하러 갔다. 이틀째 해봤다고 꼴에 좀 할만했다. 이래서 사람들을 쉽게 바꿔 치우나? 그래도 손가락이 너무 아팠다. 화장품 공병에 약품을 채우는 충전을 할 때 약품대차를 바꾸면 쉬는 시간이 생긴다. 그때마다 손가락을 만지작거리니 옆에 있던 나이가 꽤 지긋한 어르신이 말했다.

"손가락이 처음엔 아퍼. 굳은살이 생길 거야. 그때까지는 아파."

정말 머리가 새하얀 할머니였다. 명찰에는 '배희옥'이라 적혀있었다. 손은 나보다 열 배는 빠른 듯했다. 내가 하나를 접어 보낼 때 희옥 선배는 여섯 개에서 일곱 개를 접어 보냈다. '희옥 선배'라고 부르자 그녀가 말했다.

"아니, 그렇게 거창하게 부르지 말어. 무조건 언니라고 하면 돼."

모든 사람들을 언니라고 부르면 된다고 말씀해주셨다. 나는 아까 생각했던 '이틀째 해봤다고 꼴에 좀 할만했다'는 생각을 희옥 언니 덕분에 수정했다. 내 몫을 그녀가 다 해주고 있었던 것이다. 감사한 마음과 죄송함이 동시에 들었다.

같은 동작만 반복하고 있다 보니 생각이 끊임없이 생겨났다. 대체 몇 개를 접고 있는 거지? 하고 50개 정도 세었다. 1분밖에 시간이 흐르지 않은 걸 보고 너무 놀라서 다시는 안 세어보기로 하였다. 희옥 언니는 나에게 물었다.

"남편 멀쩡하게 벌어오면 집에서 쉬지, 일은 왜 나온 거야?"

"집에 있으니 답답하고, 푼돈이라도 보태려고요."

그녀는 종이를 접으며 눈길 하나 주지 않고, "그래. '다들' 그러고 살지." 하고 끄덕였다. 엄마가 자주 하던 말이었다.

"일하다 보면 또 평온하게 집에서 쉴 때가 좋다 싶고, 집에 다시 쉬러 가면 일해야 한다 싶고 그럴 거야."

늘 하던 생각을 남이 말해주니 또 느낌이 다르네요. 맞아요, 그랬던 것 같아요. 나는 그녀의 말에 맞장구를 쳐주었다. 그녀는 틀린 말을 하나도 하지 않았다. 유익한 사람이었다.

공장에는 한국인, 중국인 그리고 정체불명의 러시아어를 하는 외국인들이 있었다. 엄청나게 한국인처럼 생겨서 애당초 어느 나라 분들인지 구분이 안 되었다. 어제 남편 철호에게 말했더니

"우즈베키스탄 분들이 아닐까?"

둘이서 머리를 맞대고 추측했지만, 내가 아무리 들어도 러시아어였다. 오늘 다행히 호기심이 해결됐다. 그 '정체불명의 국적을 가진 사람' 중 한 명이 내게 물었다.

"타 멍골?"

분명 질문이었는데, 뭐라시는 거지? 못 알아들어서 나는 입을 헤 벌리고 그녀를 쳐다보았다. 지나가던 중국인 언니가 내 등을 '탁!'하고 소리 나게 쳤다.

"몽골 사람이냐코!"

아아, 몽골 분들이구나! 태어나서 처음 본 몽골사람은 외형으로는 우리나라랑 구분이 정말 하나도 안 갔다.

오늘은 그래도 잘한다는 칭찬을 여러 번 들었다. 기분이 들떴다. 칭찬 소리에 몇 명의 눈빛들이 좋지 않았다. 눈치채자마자 입

꼬리를 억지로 내렸다. 여기는 공명심을 가진 사람은 일하기 어려운 공간이겠다. 눈에 띄지 말아야 평범하게 일을 할 수 있겠다. 그 눈빛들을 모른 척하며. 칭찬을 들어도 '아니에요.', '감사합니다.' 짧은 인사만 반복했다.

몽골 분들은 러시아어를 쓰는 경우가 많다고 하셨다. 몽골 분들과 러시아 분들한테 한 번에 이야기할 수 있기에 그냥 러시아어로 인사하기로 했다. 어제는 폐를 많이 끼쳤다. '감사합니다'를 검색해 보니 'Спасибо (Spasibo)'였다. 욕처럼 들려서 당황했지만, 그래도 여러 번 연습했다. 우리나라 말로는 참 쉽게 꺼내는데, 이상하게 입이 안 떨어졌다. 부끄러웠다. 오늘 내로 인사를 한 번씩 하는 게 목표였다.

어제 혜숙 언니가 준 계약직 줄무늬 유니폼 소매가 찢어져서 가칫가칫하던 자리를 꿰맸다. 여긴 절대 새 유니폼을 주지 않는다고 했다. 그래도 멀쩡해진 유니폼 덕에 오늘 기분이 좋았다. 깔끔해 보이려고 바지를 밝은 베이지색 면바지를 입고 왔는데, 알고 보니 어두운색 청바지만 가능했다.

인사 담당이 그런 이야기를 해주지 않아서 살짝 짜증이 났다. 다행히 조장이 너무 바빠 사소한 복장 같은 걸 신경 쓸 겨를이 없다 했다. 오늘은 퇴근길에 적당한 가격의 출근용 청바지를 하나 사야겠다. 살이 찌고 나서 청바지는 하나도 없다. 오늘의 내 업무는 신제품인 달팽이 크림 포장을 하는 일이었다. 짧은 정사각형 모양의 박스에 크림을 담아서 넘겨주면 내가 접지를 하면 되는 거였다.

"소영 언니! 대체 손은 두 갠데 왜 하나만 움직이는 거야! 단

(短) 박스 포장은 이렇게 느리면 안 돼!"

조장 언니의 불호령이 떨어졌다. 연신 죄송하다는 사과와 벌벌 떨리는 손을 보던 옆에 계시던 선경 언니가 작은 목소리로 위로해줬다.

"신제품 처음인데 이 정도면 잘하는건데, 그렇지? 진정해. 불량만 안 내면 돼."

안심시켜주는 목소리에 감사했다. 덕분에 진정이 됐다. 빠르게 종이들이 쓰적거리는 소리를 내며 컨베이어벨트를 타고 접지하는 손이 빨라졌다. 식사를 끝내고 날 진정시켜 줬던 언니의 소개를 들었다. 선경 언니.

그녀는 내가 중국인인 줄 알았다 했다. '죄송합니다.', '감사합니다.', '넵.' 이 말들만 해서 한국어가 서툰 줄 알았다는 말에 공장에서 그러면 안 되는 데 큰소리로 웃어서 눈치를 봐야 했다.

오후가 되었다. 오전엔 차마 입이 안 떨어져서 못했는데, 손이 느린 날 도와주러 오신 러시아 분한테 용기 내어 드디어 입을 열었다.

"밖에서 찾아봤어요. Спасибо(Spasibo)!"

그녀가 밝게 웃었다. 덕분에 오후 분위기가 좋았다. 더워서 등이 축축이 젖은 퇴근길인데도 기분이 좋아서 행복했다.

이제 곧 아이를 데리러 가고, 또 저녁준비를 해야 하겠지. 형벌을 받는 것 같았다. 오늘도 바위를 꼭대기까지 끌고 올라가야 한다. 산 중턱까지 왔구나. 갑자기 좋던 기분이 바닥으로 푹 꺼지는 느낌이 들었다. 삶은 그냥 삶일 뿐이라고, 목표나 거창한 이유 없이 사는 건 살아지는 거라는 것을 머리로 알고는 있다. 하지만 나는 왜 계속 숨이 막혀오는 지 알 수가 없었다.

바닥짐

물참[*]

---

[*] 밀물이 들어오는 때.

출근길, 어제 급하게 산 청바지를 입고 가려는데, 예전 생각이 났다. 과거 시부모님께 처음 인사드릴 때 남편이 말했다.

"부모님이 밥 한 번 먹자는데 어때요?"

그 말을 예비시댁에 첫 인사드리는 거라 생각 못하고 정말 '밥 먹으러' 나가는 줄 알았다. 그래서 목이 늘어난 티와 허름한 셔츠에 청바지를 입고 나간 것인데, 지금 생각하면 정말 예의 없는 차림이었던 것 같다. 시어머니는 그런 나를 보고 무슨 생각을 하셨을까? 철호와는 원래 결혼 생각이 없었다. 정신 차려보니 부모님들끼리 예식장 예약이 다 되어있었다. 그런 복장과는 관련 없이 합격 처리가 되었나 보다.

딩크로 살자. '우리'끼리 즐겁게. 그들이 원래 계획한 바와는 다르게 시부모님의 은근한 압박과 친정엄마의 대놓고 '아이는 언제 낳느냐?'는 잔소리, 시어머니 쪽의 친정, 시외조모께서는 아이 없이 사는 우리를 보고 '사람 구실도 못 하는 것들'이라고 불렀다.

갑작스럽게 철호는 마음이 바뀌었다며 거창한 이유를 들어가며 아이를 낳자고 했지만, 나는 믿지 않았다. 그냥 들들 볶이는 것이 싫어 하나 낳았다는 것을 알고 있다. 느지감치 생긴 아이는 예쁘고, 사랑스럽고, 좋았다. 하지만 그것과 철호의 약속 파기는 별개였다. 그는 임신 사실을 알렸을 때 기뻐하기보다 복잡한 표정을 지어 보였다. 어느 누구도 준비되지 않은 임신이었다.

잡생각에 빠진 사이 공장에 도착했다. 땀이 난 청바지 속으로 바람이 스치는데 시원하긴커녕 실외기 바람을 맞은 것처럼 찜찜했다. 오는 동안 검색한 외국어를 여러 번 읽었다. 인사를 열심히 하고 다녀야지, 그렇게 생각했다. 중국 분들께 중국어로 인사를 하고 다녔다. 하지만 그들은 내가 중국어를 하는 걸 원하지 않는 걸로 보였다. 한국어로 천천히 말하면, 그것을 더 호감 있게 바라보았다. 러시아 분들과 몽골 분들에게만 그 나라 말로 차츰 인사했다. 그네들은 다행히 좋아했다.

오늘은 크림이 완제 포장이 되어 나오는 것을 잡아서 띠지를 책 커버에 씌우듯 둘러내는 슬리브 작업을 했다. 생각보다 나랑 잘 맞고 시원한 자리였다. 잘한다는 칭찬을 받았다.

밥을 먹고 나면 기분이 좋다. 심지어 식사 시간이 끝나면 오후 1시가 지나고, 퇴근은 오후 4시이니 3시간 뒤면 퇴근이라는 사실이 나를 기쁘게 했다. 너무 다리가 아픈 날은 못할 것 같지만 오늘은 그냥 과감히 사람들이 따개비처럼 다닥다닥 붙어 모여 떠드는 경의실에서 라인으로 들어왔다. 쉬는 시간을 포기했다.

오전에 했던 슬리브 작업 일감이 곧 떨어졌다. 여기저기 팔려 다니며 잡일을 좀 하는데 조장님이 갸웃했다.

"인원이 많이 남네"

그녀가 중얼거렸다. 혜숙 언니는 나에게, 일감이 이렇게 없으면 갑자기 나오지 말라 할 수도 있다고 설명해 줬는데, 나에겐 기쁜 이야기였다. 입 밖으로는 못 내었지만. 산후우울증 때문에 일을 시작한 상태였다. 병원에 다니고 사회활동을 하면서 좋아지는 스스로를 칭찬하고 있었다. 그러니 일감이 없어서 회사를 관두게 되어도 타격이 현재로서 크지는 않다. 철호가 요즘 씀씀이가 커져서 관리가 어려워서 그렇지.

퇴근 20분을 남겨두고 라인 정리를 했다. 또 뭐 시키실 거 있나요? 하는 표정으로 조장 언니 옆에 어슬렁거리자 웬일로 웃으시며 말했다.

"뭐~ 어쩔 수 있나? 청소해야지."

청소는 방금 끝냈는데. 어떤 의미인지 잘 몰라서 당황하자, 같이 파트타임 하는 주미 언니가 내 뒤통수에 대고 조용히 소곤거렸다.

"소영 언니, 적당히 청소하는 척 눈치 봐가며 쉬다가 퇴근하라는 말이야."

혜숙 언니와 눈이 마주치자 기쁘게 서로 웃었다. 조장언니의 노골적인 태도를 좋아한다. 태도가 명료한 사람일수록 이해하기 쉽다. 그녀의 애매한 말투를 완전히 이해한다는 건 아니지만, 몸짓, 표정 등으로 자신을 확실히 표현하는 사람이 멋지다고 생각한다. 상대방의 기분이 상하지 않게 하는 것이 정말 대단하다. 저 사람의 성격은 받아들이기 나름이다.

오늘은 치과를 가는 날이다. 기분이 좋으니 빌어먹게 아픈 치과 신경치료 예약도 기쁘게 받을 수 있을 것 같다. 부모님이 대신 달래를 데리러 가주시기로 했다. 치과치료가 끝나고 터덜터덜 집으로 걸어와서 저녁식사 준비를 했다. 조부모님 댁에서 놀다 내려온 아이를 안아 들고 씻기고 자리옷으로 갈아입혔다. 나의 일과가 끝나야 하루가 끝나는 것이 아니다. '가족'의 일과를 무사히 마쳐야 하루가 끝났다.

5일째인 오늘은 세로로 얇고 날개가 달린 제품 접지를 시작했다. 나 때문에 공정이 너무 밀리자, 다른 장소로 옮겼다. 이제는 그에 관하여 상처받지 않는다. 다음에는 더 잘하겠다는 마음뿐이다. 덕분에 오전 업무는 수출용 화장품의 성분표시와 설명서 부분의 한글 위에 영어 라벨 스티커를 부착하는 작업이었다. 곡선의 튜브

형 화장품인데 반듯하게 붙이기가 어려웠다. 이때 다시 한번 느꼈지만 정말 수작업이 많다. 화장품을 볼 때마다 이제 수제품이라고 생각하게 될 내가 우스웠다. 화장품들은 전부 핸드메이드다.

한 가지 알게 된 사실은, 한국 분들도 나를 중국 분으로 알고 중국 분들도 나를 중국인으로 알고, 몽골 분들과 러시아 분들은 나를 몽골 사람으로 알았다는 것이다. 내가 한국 사람처럼 보이지 않는구나 하고 깨달았다. 50명이 넘는 사람들이 해 준 평균적 객관화였다. 점심은 두부조림에 고구마순 무침, 소시지와 미역국이 나와서 너무 맛있게 먹었다. 사실 빨리 먹고 올라가려고 찔끔찔끔 퍼가려는데, 함바집 사장님이 나를 보며 말했다.

"고구마 순 직접 따다가 맛있게 무쳤는데…"

집게를 멈칫했다가, 사장님과 눈이 마주칠 때마다 잔뜩 퍼온 고구마 순을 '와앙-'하고 먹방을 보여드렸다. 함바집 사장님의 토실토실한 볼때기에 웃음이 차올랐다.

오후는 내내 속으로 심한 욕을 했다. 나를 따라다니면서 맴맴거리며 잔소리를 해대는 사람이 있다. 근영이라는 언니였다. 마음속으로 편지를 썼다.

저를 싫어하시는 근영 언니. 저보다는 일을 잘하시는 건 맞아요. 그런데 저도 언니처럼 1년 일하면 더 잘할 수도 있지 않겠어요? 다른 분들이 저 혼내면서 알려주는 거 다 듣고 있어요. 그러니까 언니가 일하시던 거 놓고 뛰어와서 2절, 3절 할 필요가 없으시다고요. 연세도 있으신 분이 왜 이렇게 상황 파악을 못하세요. 웃으면서 저 갈구러 오느라 공정이 비어서 저 박스들이 와르르 쌓여서 밀리잖습니까. 굉장히 무례한 말씀을 하는 거쯤이야 살다 보면 근영 씨 같은 분이 저한테 한둘이었겠어요? 다 참을 수 있는데, 업무는 해가며 뭐라 하세요 민폐잖아요.

이를 꽉 깨물며 속으로 심한 욕을 퍼부었다. 목구멍까지 올라왔지만, 말 안 하길 잘했다. 나 자신을 칭찬했다. 훨씬 어른인데 내가 저런 말을 했다면, 집에 가서서 엎드려 울 수도 있어. 그런 생각을 하며 퇴근했다.

피스타치오 맛 셰이크에 소프트아이스크림이 올라가 있는 액상 과당 음료에 샷 추가를 해서 먹었다. 이런 음료를 덜 먹으면 헬스장에서 운동 조금 덜 해도 될 테지만, 나의 낙이었다. 참을 수가 없었다. 결제한 카페 결제 내역 문자를 보더니 철호가 카톡으로 하는 말이

「당신만 먹지 말고 사다가 냉장고에 좀 넣어줘. 나도 먹고 싶어. 혼자 먹으니 살찌지.」

두 배로 짜증이 났다. 철호의 어이없고 당당한 저 이기적인 성격은 시부모님 탓이었다. 하지만 시어머니는 좋은 분이었다. 내게 여러 차례 철호에 관하여 사과를 했다. 시어머니를 보면 남편에게 화가 나다 가도 식었다. 그 정도로 좋은 어머니. 그래도 시어머니였지만. 나는 미운 놈 떡 하나 준다는 심정으로 헬스를 끝내고 남편 것도 사서 아이의 손을 잡고 집으로 향했다.

냉장고에 음료를 넣어두고 욕실을 들어가니 짧은 머리카락들이 가득했다. 물로 한 번만 쓸어내려도 이렇게 쌓일 일이 없는데. 한숨이 푹 나왔다. 아이의 장난감에 물기가 덜 마른 걸 발견했다. 요즘 바빠서 신경 못 썼는데 혹시? 하고 봤는데 아니나 다를까 물때

26

가 끼었다. 씻고 나와서 끓는 물을 올리고 장난감들을 데쳤다. 개수대에 와르르 쏟아부어 박박 씻어냈다. 한동안은 달래가 깨끗한 장난감을 가지고 놀겠지. 그리고 피곤하다. 장난감들끼리 다그르륵 부딪히는 소리가 시원했다.

바닥짐

배쌈[*]

---

* 배가 무엇에 부딪힐 때 충격을 줄이고 깨지지 않도록 하는 것.

일주일이라는 시간은 신기하다. 길치가 지도를 보지 않고 폰을 보면서 걸어도 회사로 갈 수 있다. 주급 파트타임은 월요일에 돈이 입금된다. 현금으로 영수할 수도 있지만, 입금을 택했다. 오늘 입금될 돈을 행복하게 기다리며 더운 날씨임에도 시원하게 부는 바람 같은 하루를 만끽했다.

아침에는 회사 언니들의 기행을 봤다. 한 명은 중국 분이고 다른 분은 한국 분이었다. 서로 각자의 나라말로 신나게 수다를 떨어서 신기하게 쳐다봤는데, 알고 보니 둘이 완전히 다른 이야기를 하는데도 그렇게 즐거웠던 것이다. 친구는 '집단 독백'이라고 했다. 저렇게 즐겁다니. 신기했다.

점심시간에는 조금 친해진 파트 직원분이 말을 걸어 주셨다. 쉬는 시간에 조금 넓고 편한 자리를 알려주셨다. 거기서 앉아서 SNS를 조금 보았다. 들어갈 시간이 되어서는 아기가 곧 방학이라 하루 쉬어야 한다고 출석 비고란에 적어두었다. 얼굴을 안 보고 쉬는 날을 통보하여 쉴 수 있다니 참 편한 시스템이었다. 이 낡은 공장에 이런 효율적인 시스템이라니 하며 웃었다.

여기에 점점 적응하고 있다고 느낄 수 있었던 건, 몇 번이나 공정이 밀려서 쫓겨났던 지난주와는 다르게 오늘은 쫓겨나지 않았다는 것이다. 오전에는 좁고 긴 원통형의 화장품의 뚜껑을 닫는 일을 했고, 오후에는 선크림의 접지를 했는데, 처음 보는 모양새에 흐늑흐늑한 팝업 종이가 달려있어 조금 헤맸다. 잘하시는 분이 자리를 좌우로 바꿔주어서 살 만했다.

퇴근길에 이어달리기를 시작하는 배롱나무를 보아서 기분이 좋은지 촉촉해질 통장 알림을 기다리는 게 기분 좋은지, 도서관에 다 읽은 책을 반납하러 가는 것이 기쁜지 모르겠다. 이번 주는 일단 시작이 좋다. 어차피 사라질 돈이지만.

바지는 뱃살이 잔뜩 있어서 36을 입어도 내려가지 않았다. 일을 한 지 일주일 만에 바지가 흘러내리기 시작했다. 허리가 줄었다니. 생계형 다이어트가 자동으로 시작되었나 보다. 쉬는 날 하루 전에 조금 깐깐하지만 실력 좋은 집 뒤켠의 수선 가게 사장님께 커피 한 잔을 사 들고 가서 빨리해 주십사 부탁을 드려보아야겠다. 사실 이런 살 빠짐은 일이 적응되고 나서 몸무게가 돌아와서 썩 반갑진 않은데, 운동을 같이 하고 있으니 좋지 않나 하고 생각해 보았다.

다음 날, 출근길에 걸어가다가 가방에서 양산을 꺼내는데, 무선 이어폰 케이스를 떨어뜨렸다. 신호가 바뀌려 해서 눈앞이 아찔했다. 지나가던 친절한 분이 주워주셔서 덕분에 케이스를 찾을 수 있었다. 선행이 별 일 아니라는 듯 그냥 스쳐가 버리신 그분께 오늘 좋은 행운이 있었으면 하고 바랐다.

오늘의 업무는 튜브형 팩이 200개 들어간 15kg 박스를 옮기는 일이었다. 달래의 무게라서 하루 종일도 할 수 있었지만 박스가 다 차는 동안 뻘쭘히 있어야 하는 것이 무안해서 여기저기 도와드렸는데, 쉬는 시간에 오아시스 같았다며 감사 인사를 들었다. 몸 둘 바를 몰랐다.

"아니에요! 칭찬해 주셔서 제가 더 감사해요."

다른 좋은 대답은 없나 고민을 하며, 부끄럽지만 행복했다. 박스를 나르는 일을 하다 보니 바지가 속옷이 보일 정도의 수준으로 내려가려고 했다. 그냥 오늘 당장 바지 수선을 해야겠다 생각했다. 정말, 오늘은 흘러내리는 바지의 날이었다. 날씨가 더워서 운동복 바지를 챙겨 왔는데 천만다행이었다. 퇴근하면서 보니 해바라기는 드디어 봉오리가 올라왔다. 나는 기뻤다.

저녁이 되어 일 끝나고 집으로 온 철호에게 말했다.

"나 살이 빠진 것 같아."

철호는 듣는 둥 마는 둥 하다가 몸을 위아래로 훑어보더니 대답했다.

"아직 더 빼야지."

실망했다. 실망이라니. 아직 기대할 것이 남았구나. 복잡한 기분이었다. 마모되다 못해 마멸되어 가는 이 죽일 놈의 사랑. 이 사람과 왜 살고 있는지 의문이 든 지 꽤 되었다. 사랑했던 것 같은데. 그게 뭐였더라. 복잡한 생각을 지우려고 고개를 저으며 집안일을 시작했다.

오늘 아침은 아가가 조금 뭉그적거려서 시아버지가 태워다 주셨다. 아버지는 흔쾌히 데려다주셨다. 덕분에 후끈한 날씨에도 땀 한 방울 없이 믹스커피를 뜨끈하게 즐길 수 있었다. 바빠서 후다닥 화장실 다녀올 때는 못 봤던 문짝의 문구가 보였다.

「가루는 칠수록 고와지고 말은 할수록 거칠어진다.」

나이 들수록 무르익는 좋은 속담이었다. 말을 아끼고 남의 말을 잘 들어야지. 지난주 매번 쫓겨났던 날개 달린 포장의 접지를 했는데 드디어 쫓겨나지 않았다. 나를 보고 반가워하지 않던 직원분들도 내가 1인분을 하니 그제야 표정이 풀렸다. 사실 어제 굳이 나쁜 일을 생각하지 않으려 노력했지만 실패했다. 마치 코끼리 생각을 하지마! 라고 하면 코끼리 생각이 나는 그런 느낌이었다.

오후 퇴근 전이었다. 제일 끝 라인의 케이스를 접어 화장품 사이사이 두는 일을 하는 일을 하러 갔더니, 오래 일한 분들 중 꽤

까칠한 향진 언니가 외쳤다.

"소영이는 안 돼! 밀리잖아! 다른 애로 바꾸라고!"

상처받았었지만 어제 일을 오늘까지 가지고 와서 괜히 좀스럽게 굴지 말자는 생각을 하면서 향진 언니가 무거운 걸 들 때마다 같이 들어드리니 멋쩍어하시는 게 눈에 보였다. 지금 생각해도 잘한 일 같다. 오후에는 조장 언니가 처음으로 미안하다고 말했다.

"누구 대신 뚜껑을 닫는 캡작업을 해달라고."

앞전 작업자가 느려서 내가 오게 된 거라 언니들이 챙겨줘서 기분이 좋았다. 땀 흘리는 걸 안쓰럽게 봐서 휴지 뜯어주고 바람 방향 바꿔주고, 그게 그리도 고마웠다.

퇴근길에는 오늘 치과 예약이 있어서 생각만 해도 지쳤는데, 회사 입구에 낯익은 실루엣들이 손을 흔들었다. 혜숙 언니가 말했다.

"너네 아가 같은데?"

그녀의 말과 동시에 난 이미 뛰고 있었다. 혜숙 언니에게 내일은 쉬고, 모레 뵙겠다며 소리치고 아가한테 달려갔다. 아가는 내게 소리쳤다.

"삐!(할아버지!) 부릉부릉!"

운전하는 시늉을 하는데 그것이 또 얼마나 웃기던지. 할아버지 차 타고 가자는 말이었다. 운전은 아버님이 하는데 생색은 아가가 냈다. 사랑둥이 덕분에 치과를 편히 왔다.

바닥짐

모래톱[*]

좋은 날이 될 거야. 그렇게 정했다. 그런 마음으로 출근했다. 다짐이 무색하게도 오전 내내 민폐만 끼쳤다. 접지 중 가장 어려운 일(一) 자로 생긴 커버에 사다리꼴 종이를 끼워 눕히는 작업이었는데, 공장에 취직한 이래로 최초로 내 손으로 종이들을 찢어보았다. 손에 생채기도 났다. 엉망이었다. 뒤에서 주미 언니가 땀이 비 오듯이 날 정도로 내 빈자리를 커버치느라 고생하시는 걸 보니 마음이 너무 안 좋았다. 결국 서로치기해서 주미 언니가 일을 몇 배로 했다. 점심 입맛이 없었다.

오후 시간이 되었다. 거짓말처럼 손이 빠르게 움직여졌다. 기존에 하던 언니들도 나도 놀랐다. 오래도록 일했던 주미 언니를 툭 치며 장난스레 다른 언니가 말했다.

"소영이가 너보다 빠르겠는데?"

그러자 쉽게 수긍해 버리셨다. 얼굴 좀 봤으니 사소한 농담 정도는 괜찮겠지 라는 마음에,

"제발 그런 말 하지 마세요, 손이 부끄럼을 잘 타서 느려져요."

했더니 언니들이 웃었다.

쉬는 시간이 끝나고 퇴근을 30분 남겨두었을 때, 품질관리와 근태관리를 하시는 경희 언니가 '김소영' 내 이름 석 자가 박힌 명찰을 가지고 왔다.

"우와!"

감탄하고 활짝 웃자, 같이 일하던 라인의 언니들 일곱 명이 동시에 깔깔 웃었다.

"내 명찰 받는 데 저렇게 활짝 웃는 사람 첨 본다."

"아니 명찰 처음 받아보나? 왜 이리 기뻐하냐. 엄마야."

놀리거나 귀여워하시는 말투라 기분이 좋았다. 퇴근길에는 매번 집으로 향하다가 도로 나를 다시 달려오게 만드는 출퇴근 카드를 성가셔하면서 이제는 사진을 찍기로 하였다.

명찰이 나왔다고 집에서 철호에게 자랑을 했다. 그가 말했다.

"드디어 네가 1인분을 하는구나."

내게 왜 그러는 걸까? 어느샌가 그는 나를 무시하고 있었다. 이제는 궁금해하고 싶지도 않았다. 마치 결혼을 골인 지점으로 표현하던 낡은 사람들처럼 결혼 후에 너무나 달라진 모습을 보였다.

공장은 조장님이 업무 배치를 해준다. 그것이 내 기준 얼마나 존경스럽냐 하면 지켜보고 있다가 밀리거나, 누가 어디 어깨라도 아파 보인다 싶으면 바로 빼서 바꾼다. 다들 사람 하나 없어도 회사가 망하지 않는다고 하지만 그녀는 이 공장의 사자어금니다. 어찌 보면 조장 언니에게는 부품 바꾸는 일처럼 느껴질 수도 있지만. 그래도 배려심이 없으면 나오지 않는 행동이라 여겼다. 하지만 사람이 50명이면 50명 전부 만족시킬 수 없다는 걸 잘 알고 있다. 그녀는 더 잘 알 것이다.

정말 별거 아닌 일이 있었다. 조장 언니는 여기 호칭을 전부 '언니'로 통일시켰다. 그래서 본인보다 어린 친구에게도 '~ 언니'라고 부르는데, 회사에 한칭옌이라는 20대 친구가 있다. 조장님이 그 친구에게도 "칭옌 언니!" 라고 부르자, 평소 남의 험담을 좋아하는 근영 언니가 말했다.

"칭옌이가 지보다 얼마나 어린데 언니래?"

주변 사람들이 깔깔 웃었다. 나는 놀랐다. 그녀는 중국인이다. 본인을 한칭옌씨, 칭옌! 이렇게 부르는 걸 싫어한다고 나에게 말한

적 있다. 나보다 훨씬 어리지만, 자기에게도 언니라 해달라고 했다. 나는 대수롭지 않게 칭옌에게 말했다.

"그래, 칭옌 언니!"

그녀가 활짝 웃었다. 일한 지 열흘밖에 되지 않은 나도 아는 사실인데, 조장 언니가 모를 리 없다. 괭이밥 사이에 굴러와 자리 잡은 돌멩이처럼 나는 이러지도 저러지도 못했다. 용기를 쥐어짜내서 말했다.

"이유가 있지 않을까요…"

조용히 역성을 들었더니, 언니들 표정이 좋지 않아졌다. 어색한 오전이 지나갔다. 개인적으로 생각하기에 근영은 사람 부리기를 잘하는 조장 언니를 샘내는 것 같았다. 호시탐탐 남 까내리기를 좋아하지만 유독 조장 언니만 더 까댔다. 나는 만만하니 그렇다 쳐도 조장 언니가 지나갈 때는 입 싹 닫고 안 그런 척하는 것이 퍽 우습기도 했다. 남의 욕을 하는 걸 볼 때면 한가해 보여서 부럽기도 하고, 얼마나 인생이 불행하면 험담이나 할까 싶기도 하다. 본인이 행복하다면 굳이 남을 내려치기 해가며 시간을 버릴 필요가 없으니까.

오늘 원래 혜숙 언니를 위해 초콜릿과 사탕을 사 왔는데 언니가 안 나와서 휴게실에 뒀다. 아무나 편하게 먹었으면 하는 바람이었다. 오늘은 앞서 나온 것들뿐만 아니어도 심란하다. 식사 시간 전에 있었던 일이다.

아르바이트 시작한 지 처음으로 사람에게 화를 내어봤다. 회사에 평소에도 목소리가 작아서 누군가에게 말할 때 꼭 '툭툭' 치는 친구가 하나 있는데, 말을 섞을 일이 없어서 그러던지, 말던지였으나 오늘 일을 같이 하게 되었다. 오전 내내 말 걸기 전에

"툭툭"

"이모! 물건 좀 내려줘."

"툭툭"

"그만 내려요."

"툭툭"

"밥 먹으러 가니까 물건 내리지 마세요."

저렇게 말 시킬 때마다,

"네. 알겠습니다. 알았어요."

하다가 결국 버럭하고야 말았다.

"석규 씨. 툭툭 치는 거 습관이신가요?"

입이 댓발 나왔다. 이제 밥 먹으러 갈 시간이 되었는데 또,

"툭툭"

결국 나는 화가 났다.

"치지 말라고요. 치! 지! 마!"

정리하고 휙 몸을 돌려 나와버렸다. 1초 정도 좀 참을 걸 그랬나 싶었다가 다시 시간 돌려도 화가 났을 걸 알기도 하고, 저런 건 고쳐야 하지 않나? 하는 꼰대 마인드로 그냥 무시했다. 복잡한 날이다.

오후 시간에는 조장 언니가 라인에서 조용히 내게 다가왔다.

"소영아, 맛있었다. 휴게실에 둔 거 잘 먹었어."

조장 언니는 단 것을 안 먹는다. 아까 편들어준 걸 누가 알려준 듯하다. 얼굴에 열이 몰리는 듯했다. 본의 아니게 불의를 못 참는 돌멩이가 된 것 같다. 쑥스러운 하루였다.

잠을 길게 푹 자서 개운하다. 아직까지 공장을 다니면서 한 번도 겹치지 않는 일들을 해서 '오늘은 무슨 일을 하게 될까?' 하는 기대감이 있다. 오늘은 남편과 아이가 공장에 데려다주었다.

"잘 다녀올게."

말랑한 아가의 볼에 뽀뽀를 하니 만족감과 떨어지기 싫은 마음이 교차했지만, 가야 한다. 하고 싶은 게 점점 생기니 일을 관두지 말아야겠다는 생각이 들기 시작했다.

오전에는 수출용 팩에 라벨링을 했다. 전에는 다른 크림류의 라벨이었는데 이 팩은 모양새가 곡선이 완만해서 라벨이 우그러지지 않아서 좋았다. 깔끔하게 붙였을 때 쾌감까지 느껴졌다. 대신 이 크림의 무게가 많이 나가다 보니 여러 개를 겹쳐서 올리면 찌그러져서 불량이 난다고 잔소리를 들었다.

점심시간에는 어제 아웃박스를 같이 했던 중국인 양양 언니가 번호를 알려주었다. 원래 위챗이라는 앱을 하려고 했는데 잘 안되었기 때문이었다. 언니랑 나는 서로 각자 나라의 말을 천천히 하고, 한참을 손짓 발짓으로 이야기하다 위챗을 여러 번 시도한 끝에 성공했다. 정말 세상이 좋아졌다. 예전에 일본인 친구랑은 라인으로 대화했는데, 중국은 이걸 쓰는구나 싶었다. 언니는 조만간 중국으로 돌아가는 데, 나중에 다시 돌아오겠다고 하셨다. 중국으로 놀러 오라고도 했다. 위시리스트에 추가해야지. 내게 위시리스트란 그냥 쪼가리일 뿐이지만. 소원하는 것이 죄라고 생각하진 않는다. 꿈은 크고 많을수록 좋다고 했다. 아기 사진을 보여드리고 하하 웃다가 들어갈 시간이 되었다.

오후에는 다른 제품의 완제품을 파레트 위에 차곡차곡 시계방향으로 수납하는 아웃박스를 했다. 그 외에도 착인(著印)의 제조 연월일이 잘못 찍히면 알코올로 지우는 일을 하는데 냄새 때문에 어지러웠다. 다행히 퇴근길에는 남편이 데리러 왔다. 조잘조잘 떠들며 도서관으로 갔다. 철호에게 먼저 가라고 한 뒤, 덜 읽은 책을 빠르게 읽고 반납했다. 배가 고파서 버거를 사 들고 집으로 갔다가 운동을 가야겠다.

퇴근길에 항상 보던 해바라기가 드디어 피어났다. 집으로 향하는 길에 오랜만에 엄마 목소리가 듣고 싶었다.

"엄마. 응. 나야. 별일은. 살 이야기 좀 그만해."

엄마는 살 빼라는 이야기, 철호를 챙기라는 이야기만 앵무새처럼 반복했다. 괜히 전화했다 싶었지만 늦었다.

"여자가 날씬해야지. 그러다 철호 바람난다."

입맛이 뚝 떨어지는 하루다. 철호는 이미 바람이 났었다.

바닥짐

매대기[*]

---

[*] 정신을 잃고 아무렇게나 하는 몸짓.

어떻게 내일이 입추인 걸 알았을까? 볕은 뜨겁지만 그늘은 시원했다. 어제는 원피스도 한 벌 샀다. 오늘도 평소처럼 엄청나게 무더울 줄 알고 시아버지께서 태워다 주신다고 했으나, 양산을 쓰니 그냥저냥이라 걸어가겠다고 하였다. 출근길에 보니 첫날 만났던 해바라기가 피어났다. 오늘 업무는 외주를 받은 제품 두 가지 다른 종류의 접지였는데, 매번 나만 보면 이상한 말을 반복하는 근영 언니는 휴가 내내 새로운 래퍼토리를 생각해 오셨나 보다.

　"너는 계약직이라 언제 잘릴지 모르겠다."

　"퇴직금 주기 싫어서 너는 1년 되기 전에 잘릴 거야."

　이제는 이런 말을 반복하는 것이었다. 차마 나보다 나이도 많은 그녀에게 욕은 못하겠고, 분노를 참으며 속으로 겁나 못생긴 매미로 태어나 10년 동안 땅에 처박혀 있다가 홀로 쓸쓸히 아름다운 숲에서 생을 마감하시길 예쁘게 축복해 드렸다.

　점심시간이 되었다. 식단을 하느라 밥을 반찬 칸에 떴더니 함바집 사장님이,

　"밥을 이렇게 적게 먹을 거면 고기를 많이 먹어야지!"

　하시며 소불고기를 잔뜩 주셔서 좋았다. 밥을 먹고 양치하고 잠시 앉아있는데 조장 언니가 불러서 가보니 줄무늬 없는 초록색 옷과 제대로 된 방진모를 주셨다. 임시사원의 줄무늬가 그어진 옷과 일회용 부직포 모자를 쓰던 나에겐 기쁜 일이었다.

　식사 후에는 착인(著印) 작업을 했다. 케이스에 제조 연월을 찍는 작업인데 도장이 정확히 나오게 정렬 작업을 하는 과정이었다. 아니 이런 거까지 수작업이라니 너무 신기하다고 생각했다. 너무 졸려서 시간이 안 가서 돌아버리는 줄 알았다. 잠을 깨려고 스쿼트

도 하고 런지도 하다가 스트레칭도 해도 안 깼는데 갑자기 문득 요가를 할 때 배운 호흡법이 생각났다. 코로 크게 들이쉬고 길게 입으로 내쉬었다. 한숨 같은 긴 날숨에 잠이 갑자기 달아났다. 아마도 나도 모르게 숨을 너무 얕게 쉬고 있었나 보다.

3시 정각. 쉬는 시간에 나와서 믹스커피를 마시고 사탕 하나를 까서 입안에 넣고 폰을 보는데, 전화기에 남편 카드의 대금 즉시 선결제 SMS가 도착했다. 나는 당황했다.

「즉시결제 하지 말라고 했잖아.」

메시지를 보내자, 남편 철호가 답장이 왔다.

「크게 안 했잖아. 즉시결제하면 좋지 왜 그래?」

여기가 공장이 아니었다면 길거리에서 소리를 질렀을지도 모른다. 원래 신용카드를 쓰지 않았다. 그래서 결혼 후에도 신랑의 하이브리드 카드마저 모조리 다 잘라서 없앴다. 하지만 아이를 낳고, 기저귀를 사러 창고형 쇼핑센터에 가게 되면서 신용카드가 필요해졌다. 처음에는 장보기용이었다. 시간이 흐르고 그 카드는 어느샌가 남편의 취미생활 카드로 바뀌었다. 남편은 위스키를 처음에 조심스레 샀었다. 나중에는 박람회에 가서는 몇 병씩 사 오기도 하더니, 이제는 본인 입맛에 맞으려면 '도수가 높아야 한다', '12년 산으로는 자신의 입맛에 맞지 않다', '한국보다는 해외가 싸다' 하더니 해외결제를 계속했다. 나도 카드를 안 쓴 건 아니었다. 그래서 입을 꾹 다물고 있었다. 하지만 한 병에 최소 20만 원 하는 위스키와 비교가 되지 않는 소비들이었다.

그 후로는 뻔했다. 결국 올 것이 오고야 말았다. 카드값을 내느라 현금들이 모자라기 시작한 것이다. 남편에게 엑셀로 만든 가계

부를 보여주며 여러 번 설명했다. 보너스 나오면 중요해. 내 말 잘 들어. 당월 요금만 즉시 결제만 하고 추가적인 금액은 깨부수면 안 돼. 알겠지? 여보. 나도 내 카드로 생활비를 카드로 썼어. 이 카드 금액도 없애야 해. 그에게 설명한 것은 소용이 없었다. 방금 문자로 알았다. 남편 카드값 700만 원, 자신의 카드값 300만 원. 이번 달 카드 요금 50만 원이면 됐는데, 남편이 즉시 결제를 100만 원 가까이하는 바람에 현금이 또 한 푼도 없어져서 꼬였다. 그놈의 즉시 결제를 하지 말라는데 왜 하냐고. 이가 빠득빠득 갈렸다. 눈앞이 캄캄해졌다. 엄청난 일은 아니었지만, 내가 언제든지 일을 관둘 수 있는 것과 이제는 일을 위해 돈을 위해 살아나가야 한다는 것의 무게는 달랐다. 저울이 한쪽으로 기울자 몸이 비틀거리는 기분이었다.

아이 키우느라 밖에 못 나가서 숨 막혀 정신병에 걸릴 것 같았던 시절이 있었다. 최근에야 조금씩 친구들을 만나기 시작했는데 이제는 그것도 못하게 생겼다. 전화를 걸어 남편에게 따졌다. 남편이 말했다.

- 월말에 나 월급 나오는 걸로 메꾸면 되지.

"당신 제정신이야? 월말에 나오는 월급은 다음 달에 공과금 나가는 거 써야 할 거 아냐. 말일 나오는 월급은 당월 월급이 아니라고! 다음 달 써야 한다고 몇 번 말해!"

청약을 해지하겠다고 하자 남편은 무조건 쥐고 있으라 했다. 화가 났다. 청약을 가지고 있으면 뭐 해? 아파트에 넣을 돈이 없는데. 좋은 말이 나오지 않았다. 남편도 화가 났다. 결국 청약을 해지했다. 카드 리볼빙을 하게 되진 않았지만, 이제 남편의 소비생활에 브레이크를 걸 때가 되었다고 생각했다. 원래는 남편 혼자 버느라

고생하니까, 스트레스 얼마나 받겠어. 사고 싶은 거 사게 두자. 하고 내버려 두었던 것이 이렇게 눈덩이처럼 불어났다. 내가 열심히 이런저런 알바를 해서 돈 백만 원 벌어 오는 걸로는 메꿔지지도 않는 구멍.

차라리 취직하고 싶다고 몇 번이나 생각했지만, 그녀가 일을 길게 할 때 몇 번 시어머니께서 하원을 시키시더니 힘드셨는지 아이가 말을 다른 아기보다 느리게 한다면서 언어치료센터에 보내야 한다고 해서 고부 갈등이 생길 뻔했었다. 직장을 복직하고 어린이집 연장반을 보내면, 더 벌게 되는 돈은 의미가 없다. 아르바이트가 차라리 남는 상태인 것이다. 아이가 좀 더 클 때까지 취직은 더 미뤄져야 했다.

무슨 정신으로 남은 시간 일을 했는지 모른다. 겨우 퇴근해서 집으로 왔다. 화가 풀리지 않아서 남편에게 다시 전화를 해서 물었다.

"근데 돈도 없는데 청약 왜 해지 못하게 했어? 어차피 하긴 했는데 궁금해서."

그의 말이 기가 막혔다.

– 남들 다 하나씩 쥐고 있으니까 나도 쥐고 있으려고.

"정말 당신 왜 그래? 내가 지금 50만 원이 없어서 카드 리볼빙하는데 주택대출이 나오겠어? 생각 좀 하고 살아라. 어디 나갈 생각도 말고, 주류박람회 간다는 거 다 취소해. 그리고 그거 알아? 나 다음 달은 운동을 안 끊은 이유가 안 다니는 게 아니라, 돈이 없어서 못 다니는 거라고!"

악에 받쳐서 소리 지르며 전화를 끊었다. 남편은 주말마다 꼬박꼬박 운동도 나갔다. 회비도 물론 내는 운동. 정말 끔찍하고, 끔찍

했다. 끔찍하다 보다 더 좋은 말은 없나? 캘린더 위의 친구들 약속들이 동동 떠다녔다. 구질구질하게 남편에게 카톡을 남겼다.

「원래 잡혀있던 약속은 나가세요. 나도 가야 돼. 그 후로는 안 나갈 테니 올해 제발 빚 좀 없애자.」

원피스 사지 말걸, 월초에 취미생활 한다고 노트북 사지 말걸. 결국 다 나의 잘못 같았다. 본인 잘못이 아닌 걸 알면서도 그냥 애초에 철호와 결혼한 자신의 탓을 하고 싶었다. 원피스는 10만 원이었고 노트북은 제일 저렴한 걸 찾느라 30만 원짜리였다. 철호가 산 위스키는 일본에 아직도 몇 병이나 더 있다. 해외에서 가지고 들어올 수 있는 술병 개수 제한이 있어서 못 가지고 오는 것뿐. 고로 아직 먹지도 못하는데 일본에 모셔둔 남편의 위스키만 100만 원 넘게 된다는 것이다.

나는 중국 쇼핑몰 장바구니를 매번 담았다 비웠다. 아르바이트비를 궁상맞게 아껴가며 아기의 원피스, 치마, 양말 따위를 살 때 철호는 위스키를 샀다. 하지만 본인 탓이었다. 다 내 탓이었다. 남편인 철호의 탓을 하면 철호를 정말 죽이고 싶어질지도 모르기 때문이다. 아니다. 그냥 같이 돈을 쓴 내 탓이 맞다. 숨이 막혔다. 이사 가고 싶어. 이사 갈 돈은 없으면서. 소리 지르고 싶었지만 지를 수 없었다. 그냥 숨죽여 울기만 했다. 왜냐하면 내가 사는 곳은 시댁 바로 아래층이었기 때문이다.

또 도저히 안 되면 철호가 시부모님께 갚아달라고 하겠지. 지긋지긋한 레퍼토리가 신물 났다. 그리고 저 사람은 늙어 죽을 때까지 저렇게 살 거야. 시부모님이 돌아가셔도 저러면? 본인 분수 넘치게 계속 돈을 펑펑 써대고 나 몰라라 하면? 난 이렇게 못 살아. 그런데 이렇게 못 살면 어쩔 건데? 헤어지면 더 잘 살 수 있어?

아기는? 아빠 없이 커가는 요즘 아이들도 많은 건 알고 있다. 하지만 시부모님이 해주는 지원과는 천지차이일 것이다. 너 혼자 벌어서 입에 풀칠해 가며 아이 키울 수 있어? 아이를 두고 나가는 건 선택지에 애초에 없었다.

눈에 핏줄이 설 정도로 소리를 꾹꾹 눌러 참았다.

소리 없는 비명.

바닥짐

돌물*

---
* 일정한 곳에서 소용돌이치는 물의 흐름.

끌탕이라는 게 뭔지 모르는 듯. 출퇴근길 여름의 배롱나무는 보라색과 분홍색이 어우러져서 너무 아름다웠다. 오전은 아웃박스 작업을 했다. 그런데 너무 여유로웠다. '아니, 이렇게 가만히 서서 돈 받아도 되나?' 싶을 정도로 멍하니 있었다. 얼마나 심심했냐 하면 박스에 적힌 Made in Korea라는 글자를 보고 혼자 이상한 생각을 했다. '라인에 150명가량 중에 50명이 중국 사람, 40명이 러시아, 나머지 몽골과 우즈베키스탄, 베트남 등의 사람들인데… 메이드 인 코리아 30%로 표시해야 하지 않으려나?'라는 이상한 생각. 어린 시절엔 이런 '허무하게 돈 버는' 시간에 대하여 자기계발 하나도 안 되는 회사를 다녀야 하는가? 생각하며 자괴감을 느꼈을 것이다. 이제는 그냥 좋다.

함바집 사장님의 외형을 늦게 이야기하는 것 같다. 나이 지긋하신 할아버지다. 오늘은 내가 좋아하는 김치찌개가 나와서 못 참고 말했다. 국물만 조금 더 주시면 안 되나요? 그리고는 죄송하게 쳐다보았다.

"국물만? 고기도 하나 줄게, 내 마음이여."

그의 말을 듣고 홍소하는 바람에 사람들의 시선이 집중됐다. 마음이 담긴 고깃덩어리는 세 개나 받았다. 오후 내내 실실 올라가려는 입꼬리 단속을 해야만 했다.

점심 식사 후에는 조장 언니가 공지를 했다. 내가 여유롭게 일하는 이유가 있었다. 인사담당자가 너무 많은 인원을 구하는 바람에 3명을 다시 감축시킨다는 이야기였다. 일할 만하다 싶어서 동네 친구인 빛나를 끌어들였는데, 괜히 미안했다. 우리는 당연히 그

3명 중 한 명일 줄 알았다. 저 이야기를 듣자마자 '당신은 매미의 저주에 걸렸습니다.'라는 생각이 들었기 때문이다. 내가 관두게 되면 양근영에게 꼭 쌍욕을 하고 나가리라. 남편에게 알바를 새로 구해야 할 것 같다고 자초지종을 설명한 카톡을 보내고 라인에 들어갔다. 조장 언니에게 조용히 다가가서,

"저 내일부터 안 나오면 되나요?"

질문했더니 그녀의 얼굴이 의문으로 바뀌었다.

"소영 언니. 네가 왜 안 나오니? 너처럼 말 잘 듣는 애를."

안도했다. 한동안은 멀뚱히 서서 돈을 더 벌 수 있게 되었다. 빛나는 손이 느리다는 이유로 부를 때까지 쉬라는 통보를 받았다며 손가락을 T자 모양으로 두 개 해서 멀리서 내게 우는 시늉을 하는데, 이쁜 애는 뭘 해도 예뻤다. 옆에서 일하는 언니들도 말했다.

"쟤는 참 볼수록 이뻐."

그녀는 주변에서 예쁘다고 말을 해줘도 절대 믿지 않는 아이다.

오후에도 꿀 같은 시간이 흐르고 퇴근시간이 되었다. 시아버지가 또 데리러 오셔서 신나게 달려 나가는데, 나를 툭툭 쳐서 한소리 들었던 석규가 내가 사다 놓은 초콜릿을 먹다가 나와 눈이 마주쳤다. 마치 풀숲에서 기어 나오던 길고양이처럼 눈은 나에게 고정하고, 초콜릿을 입안에 넣을까 말까 고민하는 눈치였다.

"맛있게 드세요. 저는 이만."

하고 달려 나오는데 그냥 상황이 웃겼다. 먹는 걸로 좀스럽게 굴 거처럼 보였나 보다. 내일도 무탈히 지나가길 바라며 시아버지와 수다를 떨면서 치과로 갔다. 신경치료 전에는 치위생사분께서 나의 초록색 크록스가 귀엽다고 칭찬해 주셔서 기분이 좋았다.

당황스러운 하루의 시작이다. 양근영이 내가 출근을 안 했다며 동네방네 말하고 다니셨단다. 나를 만나는 사람들 모두가 '엥?' 하는 얼굴로 쳐다봤다. 나도 전형적인 한국 사람인지라 이럴 때 '아니, 아니, 아니'부터 나왔다.

"아니, 저 아까부터 여기 있었는데… 네?"

"아니, 저 지각 안 했는데요 하하. 안녕하세요. 네?"

"아니, 제가 왜 안 나온다는 말씀이시죠."

"아니, 아니, 아니…"

조만간 저 매미 같은 양근영과 한 번 부딪힐 수도 있을 것 같다는 생각이 들었다. 오늘도 시원한 데서 아웃박스를 했다. 나만 이렇게 편히 일해도 되나 싶어, 일을 최대한 찾아서 했다. 양옆 라인까지 도와주다 보니 조장 언니가 나를 보고 미소를 지었는데, 애매한 자리라 놔두면 놀 만한 사람은 두지 않고 나처럼 자발적으로 일거리를 찾아서 하는 사람을 두는 자리라고 했다. 정말 사람을 적재적소에 잘 배치하는구나 싶었다.

오늘도 함바집 사장님과 인사하고, 메뉴에 떡볶이가 나와서 많이 먹고 싶었지만 참았다. 내가 더 먹고 싶어 하는 걸 눈치채신 할아버지가 말씀하셨다.

"다 먹어도 돼, 많이 먹어."

고개를 절레절레하며 오이냉국을 왕창 퍼갔다. 내 운동의 가장 큰 적이 함바집 사장님이 될 줄이야. 음식이 하나같이 다 맛있다.

점심 식사 후에 근영 언니가 내가 있는데도 불구하고, 나에 대해 맴맴거리자, 몇 언니들은 눈치를 챈 건지 한마디 하셨다.

"앞으로 너는 출근하면 다른 언니들한테 얼굴도장 좀 찍어야겠다. 시끄러워서."

매미는 조용해졌다. 꼬수웠다. 원래 하던 앰플 제품이 끝나서 다른 앰플로 설비 세팅이 교체되는데, 잠시 할 게 없어진 우리 라인 사람들은 전부 라벨을 붙이러 갔다. 거기서 물류사원 툭툭군 석규와 중국인 칭옌 언니가 투닥거리는 걸 봤는데, 이거 아무리 봐도 '꽁냥'이었다. 좋은 소식이 있으면 하고 속으로 바랬다. 원래 둘만 모르고 남들은 다 아는 게 그런 거 아니겠는가.

그들을 보고 나도 모르게 아련한 추억에 잠겼다. 남편 철호와는 옆동네 오빠동생지간이었다. 술자리에서 몇 번 보고, 나와 사귀기 전에도 영화를 같이 보고, 가끔 카페도 갔다. 친구였을 때가 더 좋았던 것 같은 건 착각일까? 아무튼 석규와 칭옌 언니를 부럽게 쳐다보았다. 남녀 간에는 스스러울 때가 가장 설렐 때 같다.

51

바닥짐

넛살*

---

* 고기가 떼 지어 모이는 곳에서 이는 물결.
거품과 함께 물결에 주름이 잡히면서 흔들린다.

매미는 오늘도 시설스러웠다. 하도 나를 갈구어대니 사람들이 구경을 할 정도였다. 나는 빛나라는 친구의 주특기인 '열심히 들어주기'를 하였다. 물론 빛나는 친구들을 배려하는 마음에서 우러나서 하는 행동이지만, 나는 이 사람과 싸움을 하지 않기 위함이었다. 이쯤 되면 한마디를 할까? 말까. 이 평화를 망치기가 싫은데. 하고 얄팍한 고민을 하는데 매미가 자리를 떴다. 옆에서 한국어를 하나도 못하는 중국인 언니 하나가 말했다.

　"미칭령"

　잘못 들은 줄 알았다. 주변 언니들이 다 박장대소하는 걸 보고 나서야 나는 웃음을 참기 위해 이를 꽉 물어야 했다. 그냥 매미는 원래 모두에게 저런 사람인가 보다. 이번 타깃이 나일 뿐인가 봐. 저 사람보다 조금 나은 내가 이해해 줘야지. 욕설을 뱉은 중국인 언니가 쿨럭쿨럭 잔기침을 뱉었다. 회사에 기침소리가 많이 들려온다. 오늘은 집에서 마스크를 꼭 챙겨야겠다. 아기에게 감기를 옮기기가 싫었다.

　시원한 아웃박스 자리에 고정이 된 것 같다. 이제 묻지 말라는 조장 언니의 말에 후다닥 뛰어가 일을 했다. 오늘은 옆자리 나이 지긋하신 기애 언니의 일을 좀 도와드렸는데 손가락만 한 케이스에 팩을 충전해서 보내는 일이었다. 케이스를 직접 집다 보면 시간이 걸리니 옆에서 케이스를 편하게 놓아드리는 작업이었다. 오전엔 웃으시며 농담조로 말씀하셨다.

　"에잇, 너랑 나랑 손이 참 안 맞네."

　죄송했다. 케이스를 집기 편하게만 가까이 밀어서 뒤집히든 말든 대충 놔드리다가, 지나가던 러시아인 크리스티나(Кристина) 언니가 시범을 보여주는데 마치 두 분이 절구에 떡매질을 하듯 기계가 내려올 때 케이스를 기애 언니가 맞춰놓고, 그 타이밍에 화장품을 케이스에 충전하시는 언니의 손에 크리스티나 언니가 빈 케이스를 밀어주는 것을 보여주셨다. 혼자 할 때의 거의 세 배 속도로 충전이 되었다. 신기해서 감탄이 나올 정도였다. 자세히 봐두었다가 오후 되어서 얼추 따라 했다. 기애 언니의 눈이 반짝거렸다.

"옳지, 잘하네!"

기분이 좋았다. 하지만 너무 열심히 도와드린 덕분에 퇴근하고 뻗어버렸다. 조절하지 않고 도와드리면 몸살에 걸릴 것 같았다. 하지만 오늘도 어김없이 아이를 하원시키고, 먹이고, 씻기고, 저녁 식사를 차린다.

오전에는 오랜만에 케이스를 크림 사이사이 놓는 일과 접지를 하였다. 물량이 얼마 되지를 않아서 금방 끝이 나고 라벨을 붙이는 일을 했다. 하다 보니 전에 내가 일을 못한다고 면박을 주던 향진 언니가 또 무거운 걸 드는 일을 하는 걸 보고,

'향진 언니는 왜 키도 작은데 자꾸 저렇게 힘든 일만 시킬까?'

싶었다. 이유는 모르지만 라벨을 붙이다가 뛰어가서 들어드리고, 또 라벨을 붙이다가 뛰어가고 하니 시간이 엄청 잘 갔다. 수출용 라벨 붙이는 일은 이제 하도 많이 해서 한방에 착! 붙이고 빠릿빠릿할 정도였다. 라벨이 떨어지면 품질팀 경희 언니의 자리에 가서 출력해 달라고 부탁드려야 하는데, 그녀가 어제부터 보이질 않았다. 여기서는 암묵적으로 '왜?'라는 말을 하지 않는다. 나는 속으로만 그녀가 왜 그만두었을까 하고 생각하다 말았다. 은연 중에 4년제 대학을 졸업해서 턱을 치켜들고 다닌다며 사람들이 부린 텃

세를 알고 있다. 그녀는 물론 그러지 않았다. 이번에 가신 곳은 부디 여기보다는 나은 곳이기를. 친절하게 굴던 그녀의 앞날을 좋게 빌어주었다. 잘 지내기를.

그 사이 과장님은 내가 향진 언니를 도와드리는 걸 지켜보며 몰래 도둑고양이처럼 내가 붙여둔 라벨을 검사하고 가셨다. 곁눈질로 보니 끄덕끄덕하시는 걸 봤다. 기분이 좋았다. 오후에도 라벨을 붙이다가 무거운 걸 들다가 반복하는데, 나를 매번 면박줬던 그 까칠한 향진 언니가,

"고마워."

라고 하는 게 아니겠는가? 내가 무언가 물건으로 변신하는 능력이 있다면 순두부가 되어서 뭉개졌을 것 같았다. 모든 '고맙다'는 말은 좋은 의미다. 하지만 까칠한 사람이 해주는 '고맙다'는 참 와닿는 게 달랐다. 퇴근 후에는 주미 언니가 곧 1년을 채우고 퇴직금을 받고 관두신다 하셨다. 엄청 밝고 씩씩한 언니라 어딜 가나 잘하실 것 같았다. 내가 꼬셔서 데려왔던 빛나도 결국 집에서 계속 쉬라는 통보를 받았다고 했다.

퇴근하고 어린이집에서 달래를 하원시켰다. 놀아주다가 시간이 되어 아기를 씻기고 나오니 시부모님께서 아이와 놀고 싶다고 하셨다. 철호에게 부탁해서 달래를 올려보냈다. 아기를 씻기고 남은 물에 뜨거운 물을 추가로 받아서 반신욕을 하며 시집을 읽었다. 물을 더 받다가 몇 년 전에 생일선물로 회사 동생이 주었던 입욕제가 생각났다. '아끼다 똥 된다'가 이런 말이구나. 뒤적거려 보고 없으면 못 쓰는 거지 했는데 욕실 선반에서 찾았다. 분홍색에 몽글

몽글한 설탕과자 같이 생긴 입욕제였다. '프렌치 키스' 이름도 예뻤다. 베란다에서 키우는 로즈메리 향기가 났다. 가만히 맡아 보니 라벤더도 섞였다. 물에 퐁당 던지니 포도주스 색으로 변했다. 그 물 자체가 아름답고 황홀했다. 다음엔 이런 거 받으면 아끼지 말아야지. 읽던 책을 마저 읽으려는데 방에서 게임을 하다 나온 그가 갑자기 말했다.

"무슨 책 읽어?"

"응. 시집이요."

"뭐야? 나이 먹고 주책맞게. 달래 데리고 올게."

지금? 나 아직 반신욕 안 끝났는데. 그래. 그리고 시집을 읽는 것이 주책맞은 일인가? 시무룩해졌다. 입욕제가 아까워서 물을 버리지 말아 달라고 부탁을 했다. 궁상맞은 자신이 부끄러웠다. 그래도 이 미끈미끈하고 예쁜 물을 버리기가 싫었다. 아이를 데리고 와서는 재우지도 않고 둘이 뛰어놀았다. 보기는 좋았는데 뭔가 허탈했다. 뒤늦게 화가 치밀어 올랐다. 옹졸한 나 자신을 제 3자의 눈으로 보듯 깨닫고 있으면서도 화가 났다. 남편에게 말했다.

"당신은 반신욕 할 때 내가 아이 봐주고 알아서 하는데 왜 내가 쉴 때는 이렇게 야박해?"

철호도 시무룩해졌다.

"그런 의도는 아니었는데…"

철호는 나쁜 사람이 아니다. 항상 결과가 나와 맞지 않을 뿐이다. 둘은 다를 뿐이다. 나도 머리로는 알고 있다. 그걸 알고 올라오는 감정은 숨 막힘이다. 슬프다. 항상 내가 할 수 있는 건 악역이다. 모르겠어. 재울 거면 얼른 재우고 게임하러 가.

"게임하고 싶어서 일찍 재우려고 데려온 게 아니야."

저것이 철호의 진심이라 하더라도 이미 멀리 왔다. 그의 신용도는 바닥이다. 좋게 생각해주려 하지만 그는 어차피 매일 게임을 한다. 새벽까지 한다. 사실 게임하고 싶어서 일찍 데려와서 힘 빼고 있는 게 맞다. 그는 아침에 알람 소리를 들어도 겨우 일어날 정도로 게임을 한다. 게임을. 항상. 나도 예전엔 같이 했었다. 아이를 임신했을 때까지도 같이. 하지만 아이가 생기고 나서는 못했다. 게임에 대한 미련은 접었다. 철호는 아니었다. 그런 차이였다. 그리고 이어진 외도로 인해서 철호가 밉다. 이제는 미운 것도 사랑하는 감정이라는 언니들의 이야기를 듣고 나서는 미워하는 감정조차 지워나갔다. 나만 입을 다물면 끝나는 이야기.

바닥짐

너럭배*

---

* 강이나 호수 따위에서 크고 무거운 짐이나 많은 사람을 건네주는 배.
배 밑이 넓적하여 부력은 많이 받으나 속도는 빠르지 않다.
예인선이 끌어 주기도 한다.

다음 날, 출근길에는 맨드라미가 이제 예쁘게 피었다. 은행나무가 멀리서 보니 푸르러서 좋았다. 오늘 업무는 일하면서 만져본 박스 중에 제일 작은, 굳이 비교하자면 요구르트 크기의 박스를 접었다. 아주 작은 8cm 정도의 바르는 타입 남자 향수였다. 너무 작아서 커터 칼의 날을 넣고 접어야 할 정도였다. 라인 내에 향수 냄새가 진동해서 여러 명이 두통을 호소했다. 심각하게 어지럽다고 하는 언니가 있어서 내가 약품을 채우는 충전실로 바꿔주었다.

오늘 하루 종일 생각했다. 여기에 무슨 향이 들어가는 걸까? 일단은 시트러스하다. 흔히 맡는 스킨 냄새, 새 셔츠의 빳빳함이 느껴지는 그런 향기. 이 향이 나는 남자분이 지나가면 한 번쯤 쳐다보고 '아! 저거 케이스 내가 포장했었지.' 할 정도로 향기를 외우고 싶었다. 엄청나게 고급스러운 향기는 사실 아니었다. 말끔하게 입고 다니는 노년 신사의 향기.

점심시간에는 시어머니가 절에 다녀오시면서 아침에 내려온 떡을 먹었다. 혼자 먹으려다가 휴게실에 딱 내가 좋아하는 언니들만 있어서 나눠 먹었다. 속담과는 달리 나는 오늘 막 내려서 몰캉하고 쫀득하고 맛있는 떡을 미운 사람에게 주고 싶진 않았다. 덕분에 크리스티나 언니가 빵을 주셨다. 인도의 난처럼 생긴 반죽을 구운 것 안에 피자 속을 넣어 만든 것이었다. 정말로 맛있었다. 나중에 러시아 음식 중에 이런 게 있는지 찾아보아야지.

오전에 어지럽다는 언니와 바꿔 준 일은 가끔씩 나를 도와주던 주미 언니가 자신의 설비로 가야 해서 자리를 비우자마자 내가 여기 출근한 뒤로 가장 몸을 많이 쓰는 일이 되었다. 에센스 용기의 박스를 까서 안에 내 상체만 한 스티로폼 완충지 비닐을 번쩍 들어서 꺼내고, 빈 용기를 언니들 앞에 쏟아 부어주는 일이었다. 한

두 개씩 떨어져서 나뒹굴러 다니는 녀석들을 주워서 닦고 다시 올려 주고를 반복하는데, 내 몸은 하나고 용기를 부어줘야 하는 사람들은 두 명이다 보니 정말 땀 닦을 새도 없이 왔다 갔다 뛰어다녔다. 얇은 스티로폼 재질의 완충제는 꺼낼 때마다 가닥가닥 찢어져 버려서 용기에 종이가 붙었다. 충전하는 언니들은 용량과 타이밍을 맞춰 충전해야 하고 수량을 빼야 하다 보니 예민하셨다. 찌꺼기가 붙어있으면 화를 버럭 내셨다. 나는 좀 더 신경을 써서 그것을 꺼내야 했다. 땀이 비 오듯이 나는 나를 보고 오죽하면 처음에 뭐가 묻어 있다고 짜증 냈던 근영 언니조차도 조장 언니를 불렀다.

"우리 손이 너무 빨라서, 이 애가 도저히 쫓아올 수가 없어, 중간중간 한 명 더 보내줘."

덕분에 숨을 좀 쉴 수 있었다. 나도 모르게 이를 꽉 깨물어서 오른쪽 어금니에 신경치료를 위해 메꾸어 두었던 점착제 조각이 부서졌다. 입안에서 굴러다녔는데 라인이라서 뱉지도 못하고 '삼켜야 하나, 말아야 하나?' 고민하다가 쉬는시간이 되어서 화장실로 나와서 뱉었다.

휴게실에 앉아 잠시 라커룸에서 화장을 고치는 언니를 보고 예전 생각이 났다. 공장을 다니면서 느낀 것이다. 퇴근길에 언니들은 술을 자주 마시러 간다. 손에는 전부 V사와 P사의 가방이 들려 있었다. 그들이 잘못되었다는 건 아니다. 그냥 예전 생각이 떠올랐다. 국민학교를 졸업할 때쯤 양장점에서 맞추던 헐렁한 교복이 아닌 스마트라는 교복점이 있었다. TV에 아이돌들이 나와 광고를 했고, 그것이 너무 예뻤다. 하지만 우리 집 사정에 비싼 교복점에서는 맞추기 어렵겠지. 하고 꿈도 꾸지 않았다. 아버지 없이 자란 거 티

날까 봐 밥은 대충 먹여도 유행은 뒤처지지 않게 하시던 게 어머니였다. 그것이 득인지 독인지는 아직도 모르겠다. 양장점에서 두 벌 살 돈으로 어머니는 S사 교복점에서 한 벌을 샀다. 어릴 적 살던 지역은 명품으로 꽤나 예민했다. 친언니가 학교 다닐 때 소풍을 가도 친구들끼리 옷 뒷덜미를 잡아 택을 제쳐 어디 옷인지 확인하고 놀 정도로. 당시 그래서 양장점에서 맞췄느냐, S회사 아니면 훗날 뛰어든 I회사인지가 중요했다. 그리고 나는 결국 교복 셔츠를 매일매일 빨아 입어야 했다.

예나 지금이나 변한 게 있을까 싶다. 똑같지 않나? 인간들은 그대로다. 공장에서는 나의 에코백을 보며 언니들이

"월급 나오면 가방부터 사야겠다."

라고 말하는 걸 자주 들어서 질렸다. 오늘도 마찬가지였다. 몸을 써서 피곤하다. 언니들의 말에 건성건성 대답하며 멍하니 컨테이너로 지어진 건물에 붙어있는 아주 작은 유리창 밖을 보았다. 나도 사람인지라 가끔 물욕이 생길 때가 있다. 아이를 데리러 가는 어린이집에 엄마들이 다 똑같은 H사의 모자를 쓰길래 저게 그렇게 편한가? 하고 인터넷에 검색해 보고 놀랐다. 모자 하나에 15만 원이 넘었다. 금전 감각이 없는 철호라면 사라고 이야기했을 것이다. 15만 원이면 기본 시급밖에 안 되는 이 힘든 일을 일주일간 안 하고 집에서 쉴 수 있겠다. 난 차라리 쉬고 싶다. 아무것도 안 하고 싶다. 나의 마음은 그랬다. 일하고 싶을 때는 언제고. 예쁜 모자를 쓰고 아이를 데리러 가는 것도, 집에서 쉬는 것도 중요하지 않았다. 사실 일이고 집이고 다 필요 없었다. 그냥 혼자 있고 싶었다. 이게 대체 무슨 마음인지 나도 모르겠다.

집안일이 생겨 오전에 출근하면서 이미 정신을 육체와 분리시켰다. 집안일? 사실 별 것 아닐지도 모른다. 그냥 아이의 교육 문제로 시어머니와 갈등이 조금 있었다. 항상 이런 식이다. 나는 엄마다. 나쁜 엄마다. 내 자식을 약을 먹이고, 훈육하고, 억지로 무언가를 할 때. 그때 엄마가 된다. 아이와 놀아주는 것, 아이와 즐거운 나쁜 짓을 하는 것, 맛있는 걸 먹이는, 과자, 간식을 먹이는 일은 다른 가족들이 한다. 나는 그래도 엄마다.

커피를 안 먹었더니 너무 졸렸다. 비까지 주룩주룩 내렸다. 구형 건물 아스팔트는 여기저기 움푹 꺼져서 물웅덩이들이 지뢰밭처럼 여기저기 깔려 있었다. 가뜩이나 위험해 보이던 식당 계단은 비가 내리니 저승길 계단처럼 더 음산해 보였다. 안 아프고 한 방에 끝난다면 오늘은 구르고 싶은 마음도 있었다. 환퇴해서 다시 태어나면 혼자 살 테야. 그 정도로 우울했다. 피곤한 정신을 이끌 자신이 없어서 점심을 먹고 5분 쪽잠을 잤다. 오늘은 갈증과 씨름했더니 살짝 지쳤다. 몸도 축축 처지고 기분도 축축 처졌다.

오후 업무를 시작하려는데 과장님이 나를 불렀다. 자주 이야기를 나누진 않는 분인데, 인사는 매일 하는 그런 분. 긴 이야기를 건들거리며 말했다. 다리 한쪽을 하도 흔들어서 거슬렸다. 내가 칭옌 언니가 일을 참 잘하고 좋다는 이야기를 어제 다른 언니에게 했었다. 그 이야기가 불러서 30분간 할 이야기인가?

"칭옌 씨는 칭옌 씨고, 소영 씨는 소영 씨잖아. 나는 소영 씨가 듬직해서 뽑은 거야. 다른 언니들한테 그런 이야기 안 해도 돼. 나는 그게 투정이라 생각해."

길고 낡고 지루한 말을 했지만 결국 결론은 쓸데없는 소리 하지 마라. 뭐 그런 거였다. 어디서부터 꼬인 건지는 몰라도 나는 투정 부린 적 전혀 없다고 확신할 수 있는데, 해명하기도 귀찮았다. 이미 확정 지어서 이야기하고 계셨기에. 그러고 나서는,

"기분 안 나쁘잖아? 나랑 일하는 거 불편한 거 없지?"

네, 뭐 그렇죠. 여기의 알바 공고가 왜 자주 올라오는지 알 것 같았다. 입에 모래 알갱이들이 굴러다니는 기분이었다. 오늘은 때를 밀어야지. 기분도 지우개 가루처럼 밀려 나오는 때처럼 벗겨지면 좋겠다.

퇴근하고도 집안일이 해결되진 않았지만 그냥 덮고 넘어가기로 했다. 어렸을 때와 달라진 점은 나이 든 어른이 될수록 끝맺음이 확실하게 되지를 않아 흙으로 덮어놓고 가려두듯 일이 마무리되는 경우가 있다. 씨감자로 비유하자면 흙으로 덮어놓은 감자가 싹이 날 때도 있고 썩어서 파리가 끓을 때도 있다. 실제로 감자를 뿌리 파리가 참 좋아하긴 한다. 무릉태 같은 내가 할 수 있는 게 못 본 척, 안 본 척밖에 더 있겠는가.

머리가 복잡해서인지 눈이 빨리 떠졌다. 새벽에 가족들이 잠든 사이 일찍 일어났다. 욕조의 마개를 열어 남은 차가운 물을 반절 정도 내보내고 또 김이 모락모락 올라오는 뜨거운 물을 채웠다. 전날 읽던 소설을 보다가 눈물을 왈칵 쏟고는 허기에 어지러워서 책을 타올로 소중히 싸매서 욕실 밖에 모셔두었다. 입욕제의 향기가 피부에 스몄으면 좋겠다고 생각하며 몸에 계속 문질렀다. 이 향기가 내 향기였으면. 살이 쪄서 언제나 줄줄 흐르는 땀이 식어서 나

는 쉰내, 방진모 덕분에 머리에서 맡아지는 찌든 내, 착인이 잘못되어 지울 때 손에 배어든 약품 냄새들 말고. 이런 좋은 향기가 나는 '여자'였으면. 벙어리같은 나는 좋은 향기를 맡으며 기분을 착잡하게 만드는 기억들이 소산되기를 바랐다.

오늘 남편이 쉬는 날이다. 아가와 나를 데려다주었다. "오늘 하루만 어린이집에 가면 돼. 엄마도 하루만 일하고 내일 놀자." 말랑말랑한 볼에 뽀뽀해주고 잘 타일러서 보내는데 아빠한테 찰싹 붙은 모양새가 사랑스러웠다. 출근길 기분 좋은 것도 잠시였다. 드물게도 공장에서의 업무가 나를 지치게 만들었다. 에센스의 캡을 닫는 일을 했는데, 손가락에 물집이 잡혔다. 캡을 꽉 잠그면 일이 밀렸고, 빨리하면 캡이 덜 잠겨서 뒤에서 꽉 잠그라고 설비를 쾅쾅 때렸다. 나는 움찔거리며 빠르게 꽉 잠그려 애썼다. 피곤했다.

점심시간에 있었던 일이다. 요즘 역류성 식도염이 다시 도져서 폭식도 막을 겸 식단도 할 겸 점심시간에는 반찬 칸에 밥을 떠오는데, 나를 보고 별로 친하지 않은 근영 언니가 위아래로 훑어보며 말했다.
"다이어트?"
나도 모르게 "아니요." 라고 대답했다. 곧바로 조소를 받았다. 나는 얼굴이 붉어졌다. 감량 목적도 있었으면서 그 언니가 날씬해서 부끄러웠는지 뭔지 나도 모른다. 지금 확실한 건, 내가 한 거짓말에 대해 부끄럽다는 것이다. 정정하기도 뭣하고, 잘못 아닌 잘못으로 인한 찜찜한 고통이므로 안고 가기로 했다. 왜 그랬을까? 다른 어른이 다이어트가 뭐가 창피하다고. 다음에 다시 물어보면 꼭 대답해야지. "음. 네. 그것도 있고요." 해야지.

대대적인 사물함 정리가 있다고 했다. 가을이면 일거리가 줄어서인지 사람을 계속 한 명씩 잘라내는 중이었는데, 비어버린 사물함 파악 겸 휴일 이후에 몇 명을 자를지 고민하는 것 같았다. 오후에는 앰플을 5×4 트레이에 로고가 정면으로 나오게끔 꽂아 박싱하는 업무를 했다. 수지 필름을 열처리해서 박스에 깔끔하게 붙게끔 해야 하는데, 이 필름이 조금만 엇나가도 모양이 어그러져서 혈압이 올랐다. 계속 불량이 나서 작업을 다시 하고, 다시 하는데, 다른 라인 아웃박스 쪽에서 조장 언니가 화를 하도 크게 내서 쩌렁쩌렁한 소리가 들렸다. 고개를 들지 말았어야 했는데, 조장 언니랑 눈이 마주쳤다. 그녀가 말했다.

"소영 언니! 이리 와! 아웃박스 좀 해줘."

같이 일하던 혜숙 언니의 애절한 눈빛과 속닥거림.

"눈 왜 마주쳤어… 안돼! 가지 마…"

그녀답지 않게 장난을 치는 게 너무 재밌었다. 나는 웃지 않으려 이를 꽉 깨물고 슬픈 생각을 하며 웃음을 참았다. 오늘 불려간 아웃박스는 더 단순한 막노동이었다. 10킬로그램이 넘는 화장품들이 가득 찬 박스를 팔레트 위에 빙글빙글 돌려가며 쓰러지지 않게 쌓고, 남는 시간에 박스를 접어주고, 라벨을 붙여주는 물류작업이다. 보통은 한국어를 전혀 못하는 중국 분들이 하는 경우가 많다. 그런데 오늘 오게 되신 분이 아예 일을 전혀 못하시기도 했고. 한국어도 안 되는데 할 줄 아는 말이 "나 힘들어." 이 말 밖에 없었다고 한다. 조장 언니는 화가 났다. 아웃박스에 오래 계셨던 한국어를 전혀 못하는 중국인 스칭 언니는 내가 처음 온 날부터 항상 인사를 웃으며 받아주던 분인데, 나에게 오늘 하루 종일 중국어를, 나는 한국어를 알려드렸다. 쉬는시간엔 파파고로 중국어를 알려주셔서 감사하다 말씀드렸다.

퇴근하니 아가가 나를 주려고 꽃사과 열매를 따왔다. 피로가 싹 날아갔다고는 하지 않겠다. 하지만 행복했다. 이 일상들이 '나'인 거겠지. 엄마로 시작해서 엄마로 끝나는 일상,

'나'는 '엄마'인 건가? 갑자기 궁금하다.

빨래를 걷으러 베란다로 나갔다. 동백이 만개했다. 그 옆에 만리향이 곤봉 모양의 꽃봉오리를 올렸다. 작년에는 안 피웠던 것 같은데. 데려온 첫해에는 꽃을 피웠다. 그래, 그랬던 것 같기도 하다. 정성을 들였을때는 무슨 짓을 해도 꽃이 피지 않았는데, 무심하게 굴면 제 할 일을 하고 있는 녀석들이구나 싶었다. 다시 동백에 무미건조한 시선을 던지다가 꽃머리를 잡아 뜯어버렸다.

바닥짐

노루막이*

---

* 더는 갈 데 없는 산의 막다른 꼭대기.
노루는 내리막길을 잘 못 달리기 때문에 꼭대기가 막다른 곳이 된다.

일감이 없어서 원래 이제 파트타임 직원은 전부 나오지 말라고 했었는데, 관리자분이 내게만 연락을 안 주셔서 출근했다. "집으로 다시 돌아갈까요?"라는 말에 고민하시더니,

"아니, 일이 애매하게 있으니까 일하고 가."

점심을 먹는데 적게 떠진 음식을 보고 익숙한 걱정들이 한 마디씩 이어졌다. "네. 뭐 이 정도 먹어도 충분해요. 괜찮습니다." 다이어트하냐고 근영 언니가 또 물었다. 나는 너무 다행이고, 반갑다는 생각이 들었다.

"네-! 다이어트하고 있어요."

이번에는 근영 언니도 만족한 대답인 듯했다. 대체 사람들은 다이어트가 뭐라고 상대방 입에서 진실을 듣기를 바랄까? 여러 사람에게 반복하며 대답하고 너무 졸려서 믹스커피를 결국 한 잔 마셨다. 오늘은 하루 종일 접지를 했는데 꽤나 시간은 잘 가서 좋았다. 다들 한동안 쉬라고 하는 나를 아쉬워해줘서 기뻤다.

설비가 너무 낮아서 허리가 아팠다. 옆에 일하시는 언니는 설비에 몸을 기대어 반쯤 누운 한량 같은 자세로 재야의 고수처럼 그 불편한 자세로 크림을 박스 안에 무표정하게 엄청난 속도로 집어넣었다. '이 정도면 보안 때문만 아니었어도 생활의 달인에 출연했어도 되겠는데?' 싶었다. 에어컨 때문에 눈, 코, 목이 너무 따갑고 몸이 좀 무거운 느낌이었다. 오늘은 운동을 안 가야지. 퇴근했는데 도서관에 상호대차 신청해 두었던 빛나의 추천도서가 와서 다녀오기로 하였다. 액상과당이 당겨서 아예 뱃속에 들어갈 공간이 없게끔 물을 다섯 잔 정도 마셨다.

도서관에 들렀다가 부랴부랴 달래 손을 잡고 하원시키고, 저녁을 먹으려 하는데 시어머니의 카톡이 왔다.

「피곤한 거 알지만 우리 좀 도와줄 수 있어?」

　시아버님의 가게일 관련해서 이메일을 보내는 일이었다. 두 분은 식당일을 하시는데, 가끔 사업자 관련해서 신고하거나 메일을 보내야 하면 도움을 받으시곤 했다. 달래 손을 잡고 시댁에 올라가서 시부모님의 일을 도와주고는 어머니와 수다를 잠시 떨었다. 아버님은 정말 고집이 대단하셨다. 마치 철호처럼. 아니. 철호가 시아버님을 닮은 거겠지. 혼자 잠시 시부모님이 안 보이게 고개를 내리고 피식 웃었다. 메일을 보내는 그 짧은 순간에도 시아버님은 계속 옆에서,

　"아니, 글자를 거기 왼쪽으로. '감사합니다'를 넣자. 아니, 달래 엄마야. 왜 이렇게 말귀를 못 알아들어?"

　어머니는 아버님의 훈수와 고집을 듣더니,

　"어우! 지긋지긋해! 그만 좀 해! 내가 달래 엄마였으면 시아버지고 나발이고 다 던지고 내려갔겠다!"

　아버님은 샐쭉해진 표정으로 자리를 비켰다. 메일을 다 보내고 어머니는 깎아둔 사과를 먹고 가라고 하셨다.

　"철호 오빠도 자주 그래요. 어머니도 대단하세요."

　"달래 엄마야, 같이 있지 마. 같이 붙어 다니지 마. 싸울 바에야 그냥 따로 놀아."

　"푸하하. 어떻게 그래요?"

　"부부라고 하루 종일 붙어있을 필요 없어. 우리는 가게를 같이 해서 그런 거지. 너넨 붙어 지내지 마. 그래야 안 싸워. 특히 진씨 집안 남자들! 소고집! 말도 안 되는 고집! 지긋지긋해!"

69

안 붙어 있을 수가 없어요. 같이 살잖아요. 시어머니의 말에 맞장구치는 것도 살짝 지쳤다. 어머니는 내 눈치를 보시는 듯했다. 죄송했다.

"달래랑 공원 한 바퀴 돌자."

달래한테 옷을 입히니 놀이터를 가고 싶다고 했다. 셋이서 놀이터를 가는데 어머니가 먼저 운을 띄웠다.

"철호가 즈이 아버지처럼 지긋지긋하게 하지?"

차마 그렇다고는 못하고 그냥 웃었다. 그녀는 내 대답을 듣지 않고도 말을 이었다.

"이런 말 하기 싫은데, 결혼하면 우리는 배야. 남자는 배고 여자는 항구라는데, 그게 아니라 그냥 남자 여자 할 것 없이 배가 되어 떠나는 거야. 철호한테는 너랑 달래가 바닥짐이고, 너한테는 철호랑 달래가 바닥짐이지."

"짐이라니요. 그런 생각 안 해요."

"…바닥짐은 배 뒤집히지 말라고 부러 싣는 거야. 배가 너무 가벼우면 그냥 뒤집힐까 봐서. 내 짐은 진일국씨고. 내다 버리면 내 배가 뒤집힐까 봐 못 버려."

"…우리는 모두 바다 위에서 항해 중인 거네요."

"결혼이 골인지점인 줄 알지만 그게 아니야. 이제 출발인 게지. 나이를 먹고 뭐 대단한 요령이라도 생기는 줄 알지만 그런 건 없어. 싫어하는 걸 떨쳐내는 속도가 빨라지는 것뿐이야."

어머니와 나는 뛰어노는 달래를 멍하니 바라보다가 돌아왔다. 어머니는 마지막에도 익살스럽게,

"둘이 붙어있지 말고 놀러 다닐 때 따로 다녀! 교대로!"

해서 나를 웃게 만들었다.

어머니가 아이를 봐준다고 해서 집으로 들어오니 난장판이었다. 청소해도 청소해도 끝이 없었다. 내일부터 다른 아르바이트를 구해야 하는지 걱정하며 저녁 준비를 하고 있는데 카톡이 왔다.

「정직원 언니 하나가 퇴사를 하는데 소영 씨가 자리를 좀 메꿔 줄 수 있겠어?」

생각해 볼 필요도 없이 '네' 하고 답장을 보냈다.

'다들' 이러고 산다는데, 나는 왜 마음이 술렁일까. 내 마음대로 출항하지도 않았는데, 나는 바닥짐을 싣고 떠돌고 있다. 혹은 바닥짐이 되어 흔들리고 있다. 항구 근처 반짝이는 등대의 불빛은 언제 발견할 수 있나요? 나는 언제 육지를 만나 입항할 수 있나요? 이 반복되는 일상이 바다인가요?

내일은 그나마 배의 이름이 '달래 엄마'가 아니라 '소영'인 장소로 출근하는 것을 다행으로 여기자고 생각했다.

눈에 보이지도 않는 운명이라는 바람이 내 인생의 배를 밀고 있다. 목적지를 정하고 나아가지만 바람은 내 뜻대로 되지도 않고 내 배에는 짐이 실려 있다. 언젠가 발견할 불빛을 향해서. 언젠가 도착할 육지를 향해서.

소영이의 이야기는 끝났어요.

이제부터는 친구들이 소중하게 준 단어와 문장들로 쓴 엽편 소설들이 나옵니다. 소중하게 줬는데 예쁘게 만든 건지는 잘 모르겠어요. 왜, 그, 있잖아요. 어렸을 때 점토를 다 똑같이 나눠줘도 잘 만드는 애들이 있고 못 만드는 애들이 있잖아요?

"점토로 꽃을 만들어."

하고 줬더니 죄다 다른 꽃을 만드는 거야. 네, 무슨 말인지 이해하셨죠? 얼렁뚱땅 한 페이지 채우고 있는 거예요. 눈치가 빠르시네요.

오늘 아르바이트를 하는데 무진장. 무진—장 (無盡藏) 바빴어요. 저 무진장이라는 단어 되게 싫어해요. 시로도 쓴 적 있어요. 무진장 바쁘다. 무진장. 사실 불교 용어로 알고 있는데, 엄청 바쁘다고 해도 되는데 너무 바쁘면 엄청 소리가 안 나오고 '무진장'이라고 하게 되더라고요. 그래서 싫어하나 봐요. 힘들었다고. 글 쓰려고 아르바이트하고 있어요. 요즘 독립서점들이 많이 힘들다고 해서 매거진도 시작했어요. 차비도 벌어야 하고 책값도 벌어야 해요. 제가 가난하진 않은데, 그래도 제 앞가림은 해야죠. 책 읽는 사람이 많아졌으면 좋겠어요. 두서없이 주절거렸는데, 읽어주셔서 감사해요.

클로에

나는 '집' 밖으로 나가본 적이 없다. 어머니와 둘이 살고 있었고, 그녀는 항상 내게 말했다.

"클로에, 밖은 살인마들이 가득해. 우리는 여기 있으면 안전해."

어머니는 젊고 아름다웠다. 하지만 그녀의 금발 머리는 항상 이상하게 바짝 깎여 있었고, 양치를 하지 않아 냄새가 났다. 초췌한 모습으로 항상 계셨다. 창밖에는 줄무늬가 화려하게 그려진 식물들이 반짝거리고 있었다.

"어머니, 저것들은 뭐예요?"

"칼라데아란다. 기도하는 식물이라고 불리지."

그것들은 밤이 되면 이파리를 모으고 잠들곤 했다. 마치 매일 두 손을 모으고 중얼거리며 기도하는 어머니 같았다.

그녀는 옷을 잘 만들었다. 낮에는 재봉틀로 방구석에 처박혀 있는 아코디언 같은 주름이 있는 화려한 옷을 만들어주고, 저녁에는 향기 나는 물로 나를 씻겨 주신 뒤 허리까지 오는 검고 긴 머리를 빗겨주셨다.

"이 좋은 향기는 뭔가요?"

"장미향기란다."

외출을 하지 않아서 머리가 많이 엉키진 않았지만, 빗어지면서 머리빗이 머리카락과 스치는 사르륵 소리는 귀를 간지럽게 했다. 머리빗이 두피를 지나 허리, 엉덩이까지 내려올 때면 잠이 오곤 했는데, 그러면 어머니는 나의 상체를 받쳐주며 침대에 눕혀주었다.

아침이면 어김없이 그녀는 내게 아침식사와 이상한 차를 내민다. 그것을 마시면 '손님'과 함께 잠이 온다. 그냥 기절한다고 보는 게 맞겠다. 지난번에는 손님이 나를 억지로 깨워서는 자신과 나를 보라고 해서 불쾌했다. 어머니는 그에게 계약에 없는 행위는 추방이라며 나무로 된 롤링핀으로 그를 여러 번 후려쳤다. 그의 몸뚱이가 내 몸 위로 쓰러지는 것이 불쾌했다. 뜨겁고 새빨간 피가 얼굴과 몸으로 튀었다. 시끄러운 소리가 들려도 졸렸다. 나는 눈을 감았다.

오늘도 검은 차를 받아 들 때였다. 그녀의 손에 남아있던 음식 기름 탓인지 잔이 살짝 미끄러져서 달가닥 소리를 내며 엎어졌다. 어머니는 화들짝 놀라 주웠지만 반쯤은 엎어졌다. 당황한 그녀는 앞치마로 찻물을 급히 닦아냈다. 그러고는 무서운 얼굴로 잔에 남은 것을 마시라고 했다. 오늘은 끔찍했다. 반쯤 마신 물 탓인지 머리는 아프고, 손님을 받는 데 정신이 뚜렷해서 고통스러웠다.

가끔 정신이 가물가물한 적도 있어서 이 행위가 즐겁거나 즐겁지 않다거나 하는 생각은 없다. 문제는 정신을 조금 차리면 손님들은 즐거운 듯이 나를 괴롭혔다. 대부분 아프게 했다. 내가 손님을 받는 동안 어머니가 나를 항상 지켜보고 있는 줄 알았는데, 냉장고 앞 구석에 몸을 웅크리고 재봉질을 하다 남은 자투리 천으로 얼기설기 엮은 누더기 같은 담요를 뒤집어쓰고 덜덜 떨고 있었다. 손님이 나가자 박스에 식료품과 생필품들이 담겨서 들어왔다. 그녀는 오늘 저녁 스튜를 먹을 수 있겠다며 나를 보고 웃었다. 나는 평소와 달리 마주 웃지 않았다.

며칠 뒤 숨이 턱턱 막혔다. 눈을 뜨려고 했는데 눈이 너무 아릴 정도로 매캐한 연기가 자욱했다. 기침이 나왔다. 어머니를 찾는데, 어머니는 이미 문 앞에 나가서 거칠게 두드리고 있었다. 열어달라고, 살려달라고 비명을 지르는 그녀. 나는 그녀에게 다가갔다. 그녀는 같이 이 문을 부수자며 온몸을 부딪쳤다. 철문은 쉽게 부서지지 않았다. 집안 살림 중 조금이라도 단단하다 싶은 걸 가져와서 문고리를 계속 내리쳤다.

"어머니, 그런데 나가도 되나요?"

습관적으로 몸에 배어있는 밖을 향한 공포가 이 긴박한 상황에서도 마치 발목에 사슬을 메어둔 듯했다. 그녀는 악귀 같은 모습으로 문고리를 내려치기만 했다. 문고리가 부서지고 나서도 휘어진 잠금쇠 탓에 탈출은 쉽지 않았다. 그래도 우리는 탈출할 수 있었다. '밖'으로 나온 '집'의 모습은 시뻘건 벽돌에 얼룩덜룩하게 담쟁이들이 타고 올라가고 있었고 벽돌보다 더 붉은 불길이 건물을 집어삼키고 있었다.

사람들은 미친 듯이 물가로 뛰며 작은 배에 서로 올라타려 아비규환이었다. 이 장소는 기괴했다. 우리의 '집'만 둥둥 떠 있었다. 땅이라고는 얼마 없었다. 어머니는 나를 챙기지도 않고 달렸다. 그녀를 쫓아 달려가니 배에 건장한 남자가 물었다.

"코드는?"

어머니는 외쳤다.

"클로에예요!"

그녀가 나를 태워주려 한다고 착각하고 순간 감동했다. 어머니는 나를 사랑하셨어! 하지만 그녀는 뒤도 돌아보지 않고 그 쪽배에 자신의 몸을 올렸다. 당황스러웠다. 남자는 거지 같은 행색을 한 그녀를 배에서 끌어내렸다. 하녀는 태워주지 않는다며 밀쳤다. 나는 상황이 정확히 이해되진 않았지만 본능적으로 그녀가 지어준 나풀거리는 잠옷을 입고 배 쪽으로 가서 말했다.

"내가 클로에예요."

그는 나를 위아래로 훑더니 거칠게 내 팔을 잡아당기며 번쩍 들어 배에 태웠다. 어머니는

"저 아이는 내 하녀야! 내 하녀!"

남자는 미친 듯이 달려오는 어머니를 배를 젓던 노로 가슴을 밀어냈다. 배에 탄 곱상한 여자들이 우리를 번갈아보며 낄낄대며 웃었다.

"누가 진짜 클로에지?" 누군가 물었다.

내가 클로에다. 여태껏 그래왔고 앞으로도 그럴 것이다. 악귀같이 웃던 것들은 재미가 없어졌는지 밤바다에 시커멓게 홀로 떠있는 섬. 우리들의 집이 불길에 무너지는 것을 축제처럼 바라보고 있었다.

나는 멀리서도 이상하게 또렷하게 보이는 황망한 표정의 '클로에'가 나를 쳐다보고 있는 것을 보고 살짝 웃어 보였다. '기도하는 것들'은 전부 불에 타버릴 것이다.

안녕, 어머니.

안녕, 클로에.

플랭크

지키지 못할 다짐을 했던 과거가 떠올랐다. 대학교 2학년이 되던 해였다. 남들이 알아주는 대학에 왔지만, 날고 기는 다른 학생들 사이에서 자신의 평범함을 깨달아가던 시간이었다. 마구 먹어대며 살만 쪘고, 친구들과 술만 퍼먹는 날들이 이어졌다.

그녀가 새해에 운동을 등록한 것은 충동적이었다. 그녀는 긴 시간 동안 허전함을 음식들로 달래 왔다. 어느 날, 문득 '죽기 전에 한 번만이라도 날씬해지고 싶다'는 생각이 들었다. 지방 흡입이나 약물은 무서웠지만, 운동을 하자니 귀찮았다. 노력 없이 결과물만 얻고 싶었지만, 그것은 불가능했다. 다행히도 그녀는 '움직일 힘' 정도는 가지고 있었다. 시설 좋은 곳들도 많았지만, 집과 가장 가까운 헬스장을 선택했다.

머리가 하얗게 센 할아버지가 운동을 하고 계셨다. 남에게 관심이 많은 할아버지였다.
"아기처럼 귀엽게 가랑머리를 하고 왜 그렇게 우울한 얼굴을 하고 다니는 게야?"
그녀는 퉁명스럽게 대답했다. "그냥 우울하게 생긴 건데요." 삶에 지쳐버렸다고, 아무리 노력해도 행복을 찾을 수 없어 뭐라도 해보고 싶다고 말할 수는 없었다. 산전수전 다 겪었을 노인에게 그런 이야기를 할 수는 없었다.
지금은 오히려 그런 이야기를 대수롭지 않게 할 수 있을지도 모르지만, 어린 시절엔 그것이 부끄럽고 입 밖으로 꺼내면 안 될 것 같았다.

가까운 헬스장을 선택한 장점은 가깝다는 것이었다. 그리고 또 가깝다는 것이었다. 아저씨들과 할아버지들이 그녀를 관리해 주었다. 관장님은 원래 의사였다고 했다. 왜 이 시골구석에서 헬스장을 하는지는 묻지 않았다. 아무리 사회성이 부족해도 그런 걸 물어볼 정도는 아니었다.

운동이 쉽지는 않았지만, 지지해 주는 동네 영감님 덕분에 재미있어졌다. 복근 운동과 코어운동은 필수였다. 오지랖이 넓은 영감님은 그녀를 보면 운동을 시키고 싶어 안달이셨다. 그는 플랭크 할아버지로 불리게 되었다. 그는 눈만 마주쳐도 반사적으로 물었다.

"어이, 현정이! 후랭크 혔어, 안 혔어?"

그녀는 거짓말을 못했다. "했… 어요"라고 미적지근하게 대답하면 "그럼 오늘 한 번 더 혀!"하고 시키셨다. 나중엔 약아져서 안 하고 있다가 영감님이 물어보면 하곤 했다. 대단한 행복은 아니었지만, 운동이 즐거워지는 것 하나로 기쁨이 스며들었고, 슬픔은 점점 사라져 갔다. 지난 1년 동안 그녀는 드라마틱하게 날씬해지진 않았지만, 연초와 비교하면 사람이 달라 보였다.

학교에서도 밝아졌다. "살 빠졌다"는 말을 많이 들었다. 몇 주 동안 헬스장을 나가는데 플랭크 할아버지가 보이지 않았다. 참다 참다 관장님이 지나가시길래 물어보게 되었다.

"플랭크 맨날 시키시는 할아버지는요?"

관장님은 조용히 말했다. "그분, 얼마 전에 돌아가셨어."

그녀는 관장님께 앵무새처럼 "아, 그래요? 그렇구나. 네. 아, 네." 하고 대답할 수밖에 없었다.

그녀는 한 달 정도 운동을 나가지 않았다. 새해에 티브이에서 종을 치며 해피뉴이어를 외치는 연예인들의 밝은 인사 속에서 그녀는 플랭크 할아버지를 떠올렸다. 고마웠어요, 영감님. '그냥 헬스장에서 오고 가는 사람 1'은 그의 장례식조차 갈 수 없었다. 마음이 이상했다.

새해에는 시설 좋은 헬스장을 가야지. 플랭크 말고도 다른 운동을 찾아보자. 다신 노인과 친해지지 말아야지. 그녀는 다짐했다.

그녀는 엎드려 울며 새해를 맞이했다.

불닭볶음면

혜정은 매운 것을 먹지 못했다. 예전에 사귀었던 남자는 매운 걸 좋아했다. 처음에는 그에게 전부 맞췄다. 어느 날부터인가 매운 음식이 거슬리기 시작했다.

"매운 것 좀 그만 먹었으면 좋겠어."

정색하며 말하자 그가 뭐라고 했더라? 기억나질 않는다. 그 외에도 별 것 아닌 자잘한 것들로 남자가 이기적이라는 생각이 들어 결국 헤어졌다. 그 뒤로 몇 번인가 연애를 했다. 연애라는 게 다 그렇지. 비슷비슷하게 도파민의 폭발적인 증식으로 시작해서 그것들이 사멸할 때 연애도 끝난다. 싸움이 시작되는 것은 피곤했다. 그녀는 차라리 끝을 선택했다.

친구들과 낮술을 마시고 잠들었다. 일요일 새벽에 잠이 깼다. 이런 시간에 깨어나면 어쩌라는 건지, 탄수화물이 미친 듯이 당겼다. 집에서 뭘 해 먹는 성격이 아니었다. 편의점에 갔다. 삼각김밥을 고른 뒤 컵라면을 보는데 불닭볶음면이 보였다. 이상하게 매운 것이 당겼다. 그 남자가 컵라면 중 가장 좋아하던 것이어서 꼴 보기 싫었는데, 술 기운이 아직 남았나? 매운 게 먹고 싶다니. 불닭볶음면을 집었고, 습관처럼 치즈도 집었다. 알 수 없는 우울한 기분이 마음을 가득 채웠다.

물을 붓고 끓이는데, 가마득한 예전 생각이 자동으로 재생되었다. 물 없이 계란을 한입에 털어 넣고 씹는 것 같았다. 목이 메었다. 어제 술에 취해 들떴던 기분이 이제야 깨어나면서 추락하고 있었는지도 모른다. 맥이 풀렸고, 속도 느글거리는 기분이었다. 기분은 억지로도 끌어올려지지 않았다.

헤어진 후로 그의 SNS와 카카오톡 프로필 사진을 하염없이 뒤적거리며 연락이 오기를 기다리다 지쳤다. 내가 내다 버려놓고 이게 무슨 더러운 심정인지 모르겠다. 원하지 않아도 자동으로 그 남자의 모습들이 머릿속에서 재생되었다. 예전에 그 남자는 불닭볶음면 포장지를 하나하나 까주며 이렇게 말하곤 했다.

"이러면 좀 덜 맵고, 이게 은근히 달아."

그는 치즈를 올려주고 전자레인지에 돌려 녹여주곤 했다. 전자레인지가 돌아가서 '삐익-' 소리가 났다. 꺼내어서 먹는데 너무 매웠다.

그 사람 방식의 친절. 맛있게 짜고, 감칠맛이 느껴졌다.

눈물 나게 매웠다.

햄버거

어린 시절 맥도날드에 천 원 정도 하는 버거가 있었다. 그것은 케첩 맛이 새콤하게 느껴지는 저렴한 맛이었다. 생일이 되면 조금 있는 집 자식들은 피자집이나 버거 가게에서 생일파티를 했다. 그 중에는 기원이라는 아이도 포함되어 있었다. 기원이는 별로 친하지도 않은 아이들을 불러모아 생일파티를 열었다. 사실 그 친구는 정말 친구라고 부를 수 있을지도 의문이었다. 은영은 그저 기원의 같은 반 친구일 뿐이었다. 참석하지 않으면 안 된다는 분위기였다. 그래서 은영은 없는 살림에 어머니에게 구겨진 지폐를 받아 뭐라도 준비해 갔다.

당시 학급에는 45명에서 50명 정도의 아이들이 있었고, 은영은 매년 같은 반 친구들 중에 부자가 적기를 바랐다. 하지만 이상하게도 기원과는 매년 같은 반이 되었다. 그의 생일파티에 또 가야 했고, 하나도 즐겁지 않은 이야기들을 나누었다. 참석하지 않으면 싹수머리 없다는 소리를 듣기 싫어서였다.

기원이는 이상하게 은영을 좋아했지만, 은영은 기원이를 귀찮아했다. 둘은 억지로 일회용 필름 카메라에 담겼다. 그나마 가장 즐거웠던 건 그 '햄버거'였다.

어느 날, 뉴스에 시끄러운 어른들의 사정이 복잡하게 쏟아져 나왔다. IMF라고 했다. 어떻게 읽는지 몰라 아버지께 물어보니 아버지는 '임프'라고 읽으셨다. 그래서 은영은 저 복잡한 이야기들이 임프구나 하고 생각했다.

다음 날, 학교에서 기원이의 모습이 보이지 않았다. 선생님께 기원이 안 왔다고 말씀드리니, 이사를 갔다고 하셨다. 왜냐고 물으니 IMF 때문에 기원이는 원래 살던 집에서 살 수 없게 되었다고 하셨다. 은영은 이해하지 못했지만, 뭔가 마음이 허전했다.

요즘 그 메뉴가 잘 보이지 않지만, 숨겨진 메뉴라고 한다. 다 자란 지금, 베이컨 더블치즈 버거 세트 같은 걸 시켜서 패티도 육즙 촉촉한 걸 먹지만, 아직 그 새콤하고 단순한 '햄버거' 맛이 잊히지 않는다. 그리고 그의 이름도. 졸업앨범에는 그의 사진이 없다. 은영은 일회용 카메라로 그와 찍은 사진을 앨범 사이에 끼워놓았다. 참 이상한 일이다.

넌 충분해

그녀는 어렸을 때 바이올린을 배웠다. 집이 망하기 전이었다. 부모님께서는 아주 옛날 사고방식을 가진 분들이셔서 시집을 잘 가려면 악기 하나는 다룰 줄 알아야 한다며 국민학교도 안 들어간 딸에게 바이올린을 가르치기 시작했다. 학원에 가면 프로그를 잡아 느슨하게 해 둔 활 털을 조이고, 한글도 잘 모르는 시기의 그녀는 악보만 펴면 울고 싶었다. 예전 음악 선생님들은 가차 없었다. 그녀의 바이올린 선생님도 그랬다.

"책상 위에 올라가."

바이올린을 턱으로 고정시켜 두고 떨어뜨리면 맞는다고 했다. 어른들한테는 가벼운 바이올린이 어린 수하에게는 무겁게 느껴졌다. 싫으면 더욱 무겁게 느껴지기 마련이다. 악기를 떨어뜨리는 순간 못 쓰는 것이라는 말을 수업 초반부터 엄청나게 들었기에, 수하는 무릎을 꿇고 덜덜 떨면서 바이올린을 힘겹게 턱으로 쥐고 있었다. 얼굴이 창백해질 때쯤에야 내려올 수 있었다.

수하의 집은 망했다. 집이 망해서 좋았던 것은 바이올린을 드디어 안 배울 수 있다는 마음이었다. 그녀의 어머니는 집이 망하고 비좁디비좁은 집구석에 언제 숨겨뒀는지 바이올린을 남겨두었다.

아이를 낳고 난 후, 그녀의 어머니는 어린 시절의 바이올린을 보내주었다. 세월이 지나며 팩 부분의 줄이 두 개 터지고, 활 털은 너덜거리는 그것을. 케이스를 열어보니 송진은 찐득하게 여기저기 눌어붙어 있었다. 수하는 그것을 거칠게 들고 나가서는 가차 없이 집 앞 쓰레기장에 폐기물 스티커를 붙여 던졌다.

그녀의 아이는 그때 백일도 안 되었던 것 같다. 세 시간마다 깨고, 아직 다룰 수 있는 것이라곤 짤랑이와 주먹을 고기처럼 쭉쭉

빨아대는 아무것도 못하는 아이였다.

　그래도 그녀에게는 최고였다. 아무것도 못해도 됐다.

　악기를 못 다뤄도 괜찮다.

　넌 충분해.

베짱이 K의 하루

베짱이 K는 평범한 시민이었다. 어느 날 그는 'F31'병에 걸렸다. 베짱이 의사는 그에게 말했다.

"노래를 부르게. 자네는 글자로 노래를 부르다 보면 다른 아픈 베짱이들보다는 많이 나아질 걸세."

K는 살기 위해 글을 썼다. 글자로 노래를 부르는 것을 베짱이네 마을에서는 '작가수'라 불렀다. 하지만 K는 자신이 작가수라고 생각하지 않았다. 베짱이네 세계에는 '둥당'이라는 문화가 있었다. '둥당'을 하지 않은 베짱이는 '좌우지장지지지'라 불렀다.

건넛마을 개미네에서는 '둥당'을 하건 하지 않건 모두를 '작가수'라 불렀다. 베짱이 K는 '작가수'라는 말이 무겁고 무서웠다. 그래서 그는 남들 모르게 글을 써왔다. 베짱이는 노래만으로는 먹고 살 수 없었고, 아가 베짱이도 키워야 했으며, 배우자 베짱이와도 화목하게 살기 위해 자신의 자리에서 최선을 다해야 했다. 하지만 그가 쓴 글자노래도 어느샌가 읽고 들어주는 사람들이 생겼고, 베짱이들은 그를 '좌우지장지지지'라 부르기 시작했다. 지나가는 개미들 중 누군가는 베짱이 K를 알아보고 '작가수님!'이라 불렀다. 베짱이 K는 깡충 거미집에라도 숨고 싶었다. 동시에 글자로 노래를 더 잘 부르고 싶어졌다.

어느 날 'insecthreads!'라는 SNS에 미레도파민주유소를 운영하는 개미 B가 올린 글을 보고 베짱이 K는 화가 났다. 개미 B 씨는
"둥당을 하지 않은 베짱이들은 작가수가 아니라 짭가수라 불러야 한다. 그들은 둥당 작가수를 모방하는 코스모스어 정도일 뿐이다."

라고 글을 띄웠다. K는 짭가수라는 말을 듣는 것은 괜찮았다. 하지만 그의 친구가 코스모스어로 글을 쓴다는 이유로 무시당하는 것은 참을 수 없었다. 다른 베짱이들도 화가 나서 개미 B의 주유소에 침을 뱉었다. 베짱이 K 역시 미레도파민주유소를 씩씩거리며 찾아갔다. 그때였다. 베짱이 K는 대각선집에 사는 베짱이 M이 개미 B에게 음반을 들고 찾아가는 것을 목격했다. K는 실망하던 찰나, M이 개미 B에게 말하는 것을 들었다.

"안녕하세요, 사장님. 저는 글로 노래를 하지만 사업을 하고 있다고 생각하는 음원사 대표입니다. 제 가치를 끊임없이 증명하고 설득하는 과정은 예술이자 사업이라 생각합니다. 제가 사장님께 최초로 알려지는 국내 작가수가 될 수 있을까요? 이렇게 음반을 가져와봤습니다."

베짱이 M은 개미 B에게 등당을 매년 말까지 기다릴 수 없어 해외에 먼저 음반을 냈다는 이야기와 함께 태블릿으로 Antszone 베스트셀러 순위와 변동 수익을 보여주며, 개미 B도 예술을 한다고 했으니 같이 일을 해보자고 했다. 개미 B는 갑자기 사탕에 앞다리가 붙은 개미처럼 아무 말을 못 했다. 지켜보던 베짱이 K는 너무 웃겨서 더듬이를 떨지 않으려 앞다리로 더듬이를 꾹 쥐었다. 그 와중에 베짱이 M과 눈이 마주쳤다. 개미 B와의 볼일을 다 본 뒤 베짱이 M이 달려와서 K에게 말했다.

"이보게, 자네 혹시 오해하는 건…"

"아닐세, 난 웃겨서 그만."

베짱이 K의 꼬부라진 더듬이가 미친 듯이 흔들렸다. 요 며칠 'insecthreads!'로 인해서 스트레스만 받다가 이렇게 웃어본 것이 얼마 만인지 모르겠다며 베짱이 M이 얼마나 멋졌는지 노래로 표현할 방법이 없어서 슬프다고 했다.

"자네 덕에 이렇게 웃는다네. 새해 복 많이 받으시게, M."

"평안한 연말이 되기를 바란다네!"

베짱이 K는 그에게 깊은 감사를 노래로 길게 써서 전했다. 베짱이 M에게 바치는 글자로 쓴 노래였다.

조바심

그는 오늘 아침에도 알람시계를 두 번 밀어서 끄고, 세 번째에 잠을 깼다. 밤새 채워놓은 소변을 보러 화장실에 들어갔다. 자고 일어나서는 소변이 한참을 나오지 않아 잠시 기다리며 정신을 차린다. 뇌가 점점 깨어나면서 불안증이 도진다. '아! 오늘도 하루가 시작되어 버렸구나.' 미팅 시간에 부디 자신의 이름이 불리지 않기를 바라며 세수를 한다. 그러면서 준비한 자료를 다시 복기하려 노력한다.

냉동실에 사둔 주먹밥을 전자레인지에 1분 돌린다. 오늘은 그래도 10분 정도 여유가 있다. 구워서 먹어야지. 작은 팬을 꺼내어 기름을 붓는다. 어머니가 보셨으면 기름을 한강처럼 들이부었다며 등짝을 때리셨을 것이다. 그것마저 그립다.

노릇노릇 구워진 주먹밥을 앞접시에 옮겼다. 손으로 잡고 먹으려다가 뜨거워서 숟가락으로 퍼먹는다. 발표 때 멋있는 말 한두 개 섞으려고 메모해 둔 메모장을 켜서 읽으며 씹는다.

출근하고 미팅 시간이 되자 불안했다. 아이러니하게도 그의 이름은 끝까지 불리지 않았다. 선배인 J가 그를 걱정스레 바라봤지만, 그는 엄지를 척 들어 올리며 기쁜 척을 했다. 안심해야 하는데 묘하게 허탈했다. 사실은 호명되기를 바랐던 것이었나?

옥상으로 올라가서 믹스커피 한 잔을 뽑아 담배를 피우면서 본인이 느꼈던 감정에 대해 고민한다. 곡식 중에 아주 낱알이 작은 '조'를 타작하는 것의 우리말, 조바심. 그는 몇 달간 곡식을 타작하는 것처럼 조만한 글자를 계속 보고 또 봐왔다. 망치면 안 하느니만 못했다. 하지만 그가 느낀 건 조바심이었다. 차라리 기회를 받고, 시원스레 뭉개지는 게 나았을 것 같다. 간나위, 간사한 사람이나 간사한 짓을 낮잡아 이르는 말.

같은 마음, 두 영혼이 부딪힌다. 하나는 안정적인 회사생활을 그대로 이어나가고 싶어 하고, 다른 하나는 앞으로 나아가고 싶어 한다. 둘 다 '나 자신'이다. 평소에는 싸울 일 없지만 오늘 같은 날이면 마음속에서 아웅다웅 다툼하느라 속이 시끄럽다.

내려갈 시간이 된 것 같아서 폰 화면을 보니 카톡이 와 있었다. 어머니와 아버지가 등산을 가셨나 보다. 정상에서 두 분이 하트를 같은 방향으로 하고 있었다. 푸하하 하고 웃음이 나왔다. '끼니 챙겨 먹으라'는 카톡 하나에 위안을 얻고 담뱃불을 발로 비벼 끄며 내려갈 준비를 한다. 기회는 다음에도 있을 것이다.

전라좌수영

산속을 거의 네발짐승처럼 엄청난 속도로 달려가는 남자가 있었다. 용길. 그는 원래 전라좌도수군절도사영(全羅左道水軍節度使營)*에 속해있었다.

쿵덕거리는 심장이 목구멍에 걸린 듯했다. 가슴이 찢어질 듯 아파오고, 누군가에게 발바닥을 매질을 당하듯 후려쳐지는 느낌에, 부리나케 산으로 도망쳤다. 얼굴과 손등이 가장자리 나뭇가지에 스쳐 실금 같은 상처가 여기저기 그어졌지만 신경 쓸 겨를이 없었다. 졸이는 마음이 갈수록 더해져 멈출 수가 없었다. 땀이 비 오듯 맺혀 떨어졌다. 숨을 쉴 때마다 허파가 찢어질 듯 아팠다.

마치 홀린 사람처럼 탈영을 감행했다. 전염병이 살벌하게 돌아서 능력 있던 장수들도 많이 죽어 나갔다. 이번 전투는 용길의 눈에 어떻게 될지 모르는 전투였다. 여비도 없었지만 잡히면 어차피 죽은 목숨이니 갈 때까지 가보자고 생각했다. 원래 낫질이나 하던 시골 놈이 병졸로 끌려와서 내일이면 숨이 끊어질 운명이었다. 바닷놈도 아닌데 어쩌다 여기까지 오게 되었는지 알 수 없는 일이었다.

올라가다 보니 산 중턱에 초가집이 보였다. 마당에는 무엇을 태우던 중인지 모닥불이 꺼지다 말았다. 작은 짐승들이 집에 들어오지 못하게 개바자를 쳐 두었지만, 그쯤은 쉽게 넘었다. 그는 잠시 멈춰서 고민했다.

이곳이 안전할까? 아니면 다시 달려야 할까? 그는 숨을 거칠게

---

* 조선시대 전라도의 '동쪽'에 존재하던 수군절도사영. 왜구와 접촉이 심했던 경상도와 전라도에 각각 좌·우 양영으로 수군이 편성되었는데, 각 수영은 수군절도사가 다스렸다. 각 도의 동편, 즉 서울에서 보아 좌편을 전담하는 주진(主鎭)을 좌수영이라 하고, 우수영은 각 도의 서편, 즉 서울에서 보아 우편에 설치하였다.[출처] 한국학중앙연구원 - 향토문화전자대전

몰아쉬었고, 가슴은 아직도 두근거렸다. 더 이상 달릴 힘이 남아 있지 않았다. 초가집은 조용했고, 아무도 없는 것처럼 보였다.

어쩌면 이곳에서 잠시 숨을 돌릴 수 있을지도 몰랐다. 그는 결심을 하고 초가집으로 다가갔다. 문을 두드릴까 말까 망설이다가, 조심스럽게 문을 열어보았다. 안에는 아무도 없는 듯했다. 그는 살며시 들어가 몸을 숨기고 잠시 쉴 수 있는 곳을 찾았다.

모닥불의 남은 열기가 약간의 온기를 제공했지만, 그에게는 충분하지 않았다. 초가집 안은 단출했고, 식량이나 물은 눈에 띄지 않았다. 그는 초조하게 주변을 둘러보며, 이곳에서 어떻게든 살아남을 방법을 생각하기 시작했다.

아직 숨을 고르고 있을 때, 문 밖에서 낯선 발자국 소리가 들려왔다. 그는 순간적으로 몸을 숨기며, 다시 긴장했다. 이번에도 무사히 도망칠 수 있을까?

좌수사*는 용모책을 다 외운다지.

용길은 그 말이 떠올랐다. 무언가에 홀린 듯, 타다 만 장작으로 가서 하나를 집어 들어 얼굴을 냅다 지졌다. 타는 고통에 비명이 터져 나왔지만, 그는 이를 악물고 견뎠다. 순간 초가집 부엌에서 아낙이 나와 이 광경을 보고 질겁했다.

"에구머니나, 뒈디고 싶으면 딴 데 가서 뒈디디 이 미친 쑥것**은 어디서 와서 남의 집에서 미친 짓을 하는 게야!"

부엌으로 가서는 부지깽이를 들고 와서 용길을 후려갔다. 용길은

---

* 임진왜란 당시 좌수사 이순신 장군.
** 사투리. 수컷의 방언.

얼굴에 뜨거운 열기가 퍼지고 얼굴 반절이 시뻘겋게 부풀어 오르며 고통이 몰려왔지만, 마음은 차분해졌다. 웃으며 뛰쳐나갔다. 살았다! 그는 그렇게 생각했다. 자신을 쫓는 이들을 속일 방법을 찾은 것이다. 이대로 얼굴을 변형시키면, 아무도 알아볼 수 없을 터였다.

며칠 뒤, 이름 모를 남자가 산 중턱에서 주검으로 발견되었다. 심마니들이 나라가 혼란스러운 사이 산에 몸을 의탁할 겸 오르다 그의 시신을 발견했다고 했다. 그의 얼굴은 심하게 훼손되어 알아볼 수 없었고, 옷차림도 초라했다. 가설부장(加設部將)*은 인상을 찌푸리며 코를 막았다. 얼마 전에 마을에서 들은 이야기가 생각났다.

산 중턱에 사는 아낙이 웬 정신 나간 남자 하나가 집으로 들어와서는 마당에 쓰레기를 태우는데 장작하나를 집어 들더니 냅다 자신의 얼굴을 지지더라는 것이다. 아무리 생각해도 탈영병이다. 오작인(仵作人)**이 송장을 뒤적거렸다. 하반신은 호랑이가 산산조각을 내었고, 상체에는 발톱자국이 깊게 파였다. 얼굴이 흉측하게 일그러져있는데, 불로 지진 자국이 채 아물기도 전에 먹이가 된 듯한다고 했다. 곤장 50대를 맞고*** 끝낼 것이지. 결국 창귀가 되어 떠돌게 생겼구나.

그는 혀를 차며 자리를 떠났다.

---

* 포도청의 직급 중 하나.
** 조선시대 검시관.
*** 탈영 초범은 곤장 50대였다.

큰 나무

밤나무 댁으로 유명하던 동네 부잣집이 있었다. 자매 중 동생인 옥녀는 무던한 성격이었지만, 언니 복녀는 욕심이 많았다. 복녀는 자신의 것을 챙긴 후에도 옥녀의 것을 탐냈다. 다행히 유복한 가정 환경 덕에 둘은 크게 부딪힐 일 없이 자라왔다. 옥녀는 항상 언니가 비꼬면 비꼬는 대로 "그렇구나," 하고 넘기곤 했다. 복녀가 남편에게 술 먹고 앵기며 추태를 부려도 "별짓을 다 하는구나," 하며 무시해버렸다.

복녀는 옥녀의 이러한 태도가 자신을 내려다보고 무시하는 것 같아 배알이 꼴렸다. 항상 동생을 뒷귀먹은 사람 취급하면서도 가끔은 친절히 대해주기도 했지만, 미운 감정이 가슴 깊이 자리하고 있었다.

어느 날, 복녀의 남편이 중요한 정보라며 노다지 땅을 사자고 부추겼다. 복녀는 부모님께 조르고 졸라 두 분이 노년을 준비했던 집을 담보로 대출을 받았다. 그러나 세상사 뻔하게 흘러갔다. 부동산 사기를 당한 것이다.

복녀는 슬픔을 빙자해 옥녀의 남편을 꾀어내었고, 결국 그와 불륜을 저질렀다. 이 사실을 알게 된 옥녀는 복녀에게 그 휴짓조각 같은 땅이라도 내놓으라 했지만, 복녀는 모르는 척했다. 결국 부모님은 늙어 죽는 날까지 일하시다 허망하게 돌아가셨고, 옥녀는 남편과 이혼했다.

어느 날, 복녀가 옥녀를 불러 화해하자 했다. 옥녀는 남은 피붙이가 언니 하나였기에 그 무던한 성격으로 "그러자," 하고 찾아갔다. 술을 주거니 받거니 하던 중, 복녀가 갑자기 박수를 치며 웃었다. 부모님 생각이 나서 심었다며 옥녀를 뒷마당으로 데려가 밤나무들을 보여주었다.

옥녀는 가슴 속에 화가 치밀어 올랐다. 그렇게 무던하게 살았던 그녀의 마음 속에 자신도 몰랐던 증오가 자라고 있었다.

"네가 이 나무를 심었다고? 감히?"

"언니한테 이 말본새가 뭐야? 이 계집애가!" 복녀가 버럭 소리쳤다.

"나는 과거를 흘러보낼 자유가 있기 때문에 너를 용서하려고 했어. 그런데 네가 나를 과거로 다시 묶다니…."

상황을 모르는 형부는 당황하며 자매 사이를 말렸다. 옥녀는 형부에게 술을 더 가져다 달라 했다. 그는 얼른 구멍가게로 달려갔다. 그 사이 복녀가 화장실로 가자, 옥녀는 땔감을 만들기 위해 도끼를 들었다. 뒷마당에 엉성하게 자라난 밤나무 가지들을 한가득 잘라왔다.

할머니의 이야기는 거기서 끝이 났다. 경순은 이해되지 않았다.

"밤나무가 왜요?"

"밤나무는 태우면 안 돼. 연기를 마시면 죽는 겨,"

할머니는 안타까운 한숨을 내쉬었다.

"언덕집을 아무리 예쁘게 다시 지어도 근처로 안 오려고 한다고."

뒤에서 시끌시끌한 목소리가 들렸다. 부동산 중개인의 목소리였다.

"저기가 어떠세요?"

부동산 중개인이 또 밤나무 댁을 보여주러 왔나 보다. 뒤를 돌아보니 촘촘한 베일 모자를 쓴 여자가 흰머리가 희끗한 경순의 할머니를 흘긋 보았다. 경순은 얼핏 베일 사이로 붉은 눈을 본 듯도 했지만, 순간적으로 온 팔과 다리에 잔털들이 쭈뼛 서는 기분이라 이내 모른 척을 했다.

호호 불면은 구멍이 뚫리는

그는 한때 꿈을 품었던 남자였다. 어린 시절, 아비와 함께 목욕탕에 갈 때면 바가지 두 개를 포개어 냉탕에서 수영을 즐겼다. 차가워진 몸을 이끌고 온탕으로 들어갈 때마다 그는 늘 같은 생각에 잠기곤 했다. 여러 가지 비누 냄새가 뒤섞인 그 습하고도 훈훈한 공기를 들이마시며 그는 왠지 모를 부끄러움을 느꼈고, 그 생각을 누구에게도 털어놓지 못했다. 노력하면 무엇이든 이룰 수 있다는 말을 믿으며, 때로는 그 말이 배신처럼 느껴졌고, 또 어떨 때는 맞는 것 같기도 하다고 생각하며 살아왔다.

세월은 그의 삶을 쉴 새 없이 흘러보냈다. 불혹의 나이에 다다를 즈음, 남들처럼 자가용도 사고, 작지만 집도 마련했다. 돈도 어느 정도 모았기에 어디가서 가즈러운 척은 할 수 있었지만, 사교성은 이미 오래전에 그의 손을 떠나버렸다. 현실의 무게에 눌려 그는 점차 꿈을 잃어갔고, 마음 깊은 곳에 자리 잡은 공허함만이 그의 삶을 채우고 있었다.

그의 삶은 마치 눈 덮인 겨울 숲처럼 고요하고 적막했다. 눈송이가 하나 둘 떨어질 때마다 그는 더 깊은 침묵 속으로 빠져들었다. 언젠가부터 그의 눈빛에는 더 이상 빛이 없었고, 마음의 문은 굳게 닫혀 있었다. 꿈을 꾸던 소년은 사라지고, 현실에 타협한 남자만이 남아 있었다. 그는 여전히 매일 아침 출근길에 나섰고, 일을 마치고 돌아오는 길에는 집 안의 고요함이 그를 맞이했다. 그렇게 하루하루가 반복되었다.

어느 날 저녁, 그는 오랜만에 목욕탕을 찾았다. 익숙한 비누 냄새와 습한 공기가 그를 반겼다. 차갑게 식은 몸을 온탕에 담그고,

그는 한숨을 내쉬었다. 그 순간, 어린 시절의 꿈이 문득 떠올랐다. 하지만 이제는 그 꿈이 너무 멀게만 느껴졌다. 그는 천장을 바라보며 속삭였다. "정말로, 노력하면 안 되는 게 없을까?" 그 물음은 공허하게 울려 퍼졌고, 목욕탕의 온기가 그의 몸을 감싸주었지만, 마음의 추위는 사라지지 않았다.

그는 말을 배웠지만, 말을 잃어버렸다. 사람과의 대화는 어색함 그 자체가 되었고, 전화를 받는 일조차 두려웠다. 오랜만에 걸려온 전화는 반가운 소식이 아니었다.

후배의 전화였다. 후배는 기러기 아빠였다. 아내와 아이들을 위해 먼 타국에서 날갯짓하며 가지와 먹이를 물어오는 수컷 기러기처럼, 그는 가족을 위해 헌신했다.

"형님, 나는 죽어가고 있어요."

"..."

"이 비참한 상태로 죽어가고 있어요."

후배의 아내는 다른 사람을 사랑하게 되었다고 했다. 후배는 덤덤하게 말했다.

"바람이 아니어서 다행이에요. 농섭이 형. 저는 무엇을 위해 살아온 걸까요?"

기러기는 전화기 너머로 울었다.

정장을 차려입고 후배의 장례식장으로 향했다. 장례식장은 서늘하고, 슬픔의 곡소리조차 들리지 않았다. 영정사진을 원망스러운 눈길로 바라보며, 모두가 '왜?'라는 질문을 그에게 던지고 있었다. 이제는 대답할 수 없는 자에게.

그가 비참하다고 했을 때 나는 뭐라고 했더라? 검고 네모난 테두리 안의 사진 속에서 그는 웃고 있었다. 속으로 말을 삼켰다. 내가 네게 도움이 되지 못해서 미안해. 후배는 아내와 사별했지만, 정작 헤어지진 않았다. 그가 바란 것은 아마도 그것이었을 것이다.

집으로 돌아와 그는 현관에서 종이컵에 담아둔 소금을 몸에 덕지덕지 뿌리고 뜬눈으로 밤을 새웠다. 백화점에 가야겠다고 결심했다. 내일 사고 싶은 것을 사야지.

애매한 쪽잠을 잔 탓에 머리가 아팠지만, 덕분에 10시까지 불안하게 기다리지 않아도 되어 좋았다. 1층에서 진하게 풍기는 분내에 정신이 아찔할 정도였지만, 겨우 입욕제를 파는 곳을 찾았다.

퇴직금이 얼마나 나오는지 알아봐야겠다고 생각했다. 내가 좋아하는 것을 찾아보자고 결심했다. 저녁이 되어 새색시처럼 혼자 부끄러워하며 직원이 설명해준 대로 입욕제를 풀었다. 보글보글 올라오는 거품을 보니 잠시 행복해졌다.

호-호- 하고 불어보니 거품 속에 작은 구멍이 뚫렸다. 그 모습을 보니 이상하게 허무해졌다.

거품 같은 인생이었다.

그렇게, 잠시 아름답게 부풀어 오르더니 이내 사라지는,

거품 같은.

늘보, 사랑해

조금 느렸다.

상원이 그를 본 첫인상은 그랬다. 그냥 ′그′라고 부르기로 하자. 사실, ′조금′이라고 표현하기조차 애매했다. 그의 움직임은 거의 없다고 봐야 했다. 그가 그토록 부러웠다.

″나는 사육사로 일하며 이렇게 엄청난 체력 소모를 하는데, 너는 나무늘보로 태어났다는 이유 하나만으로 편히 쉬고 있구나.″

상원은 매일 그의 사육장을 돌보기 전에 옆집에 사는 개미핥기를 위해 신선한 고기를 다지고, 과일과 계란, 요구르트를 섞어 준비했다. 그는 계란 하나를 톡 올려서 마치 육회처럼 보이도록 개미핥기에게 주면, 개미핥기가 기뻐하는 것처럼 보였다. 오늘은 특별히 살아있는 개미를 주는 것을 보여주고 나서야 그의 우리로 이동했다.

나무늘보 사육장은 그를 안전하게 돌보고 관리하기 위해 설계된 장소였다. 넓은 실내 공간과 야외운동장이 있었지만, 사실 야외운동장을 쓰는지조차 의문이었다. 실내에는 나무로 만든 클라이밍 프레임과 가지로 만든 그네, 올라갈 수 있는 로프들이 있었다. 그들이 행복하기를 바라는 마음으로 만들어진 것들이었다.

덥거나 춥거나 외부 날씨와는 상관없는 그의 사육장은 언제나 쾌적했다. 따뜻하고 습한 환경을 좋아하는 그를 위해 냉난방이 잘 되어 있었다. 그의 근육은 거의 없어 웬만해선 나뭇가지에서 끌어내릴 수 없었는데, 그날은 털 사이에 벌레가 자리 잡고 있는 듯했

125

다. 상원은 벌레를 싫어했다. 움찔했다. 야생에서는 몰라도 사육장에서는 곤란하기에 마치 모자를 옷걸이에서 빼듯 번쩍 들어 내릴 준비를 했다. 그냥 잡아서는 끌어내릴 수 없기에, 항상 그에게 먼저 말을 걸었다.

"알지? 실례할게."

장갑 낀 손으로 엉덩이를 투닥투닥해주고 들어 올리는데, 털 사이에 있던 파리들이 웽 하고 날아올랐다. 장갑으로 털 사이를 훑어 벌레들을 털어내고 바닥에 내려두자, 그가 볼일을 봤다. 상원은 그를 일주일에 한 번 내려둔다. 내려주지 않아도 어느 날인가 바닥에 꼭 시체처럼 누워 엉금엉금 느린 속도로 나무로 기어가곤 했는데, 그날은 볼일을 보는 날이었다.

그가 볼일을 보는 모습을 보니 상원은 시원함을 느꼈다. 일주일에 한 번 싸는 만큼 냄새는 정말 엄청났다. 상원은 헛구역질이 나와 숨을 참았고, 사육사는 부지런히 그의 변을 치워주고 나무에 다시 바짝 그의 몸을 붙여주니 그는 나무를 꼭 끌어안았다.

그가 앞발 한쪽으로 나무를 느릿느릿 끌어안더니 갑자기 다른 앞발을 내 방향으로 뻗으려 해서 상원은 놀랐다. 발톱이 날카로워 조심해야 하기 때문에 몸을 뒤로 뺐는데, 기분 탓인지 그가 웃는 것처럼 보였다. 마치 경례를 하듯 인사를 하는 것 같았다. 고맙다는 의미 같았다. 상원은 웃음이 터졌다. 사육사는 정말 이런 순간에는 행복하다.

그가 나를 사랑하는 듯한 기분이 들었다. 나도 너를, 늘보를 사랑해.

126

빵꾸똥꾸

동구. 그는 참 특징 없는 사내였다. 특이한 것이라고는 성씨도 구 씨여서 이름을 뒤집어도 '구동구', 똑바로 해도 '구동구'였다는 점이다. 외모도 평범, 체격도 평범, 성격도 평범. 지나가는 동창에게 인사를 해도 늘 '아는 척' 당하기 일쑤였다.

직장생활도 평범. 주량도 평범했다. 담배는 군대를 가서 배웠다. 끊어보려 했지만 직장 생활하다 보면 삼삼오오 모여서 갖는 그 시간에서 빠지기가 싫었다.

그는 아이를 좋아하는 편은 아니었지만 하나뿐인 조카를 너무나 사랑했다. 얼마나 사랑했냐 하면 조카가 맨날 그에게 빵꾸똥꾸라 부르고 무시하며 목마셔틀 취급을 해도 그랬다.

매일 만나지 못해도 전화로 조카와 함께 떠들어 대면서 하루를 시작하고, 새롭게 배운 것들을 나누고, 가끔은 같이 과자를 먹으며 웃음 속에 시간을 보냈다.

주말에는 함께 공원을 돌아다니며 추억을 만들어 나갔다. 이렇게 삼촌과 조카는 서로에게 큰 힘이 되어가고 있었다.

어느 날, 평화로운 삶을 살던 그는 갑자기 폐가 굳는 병에 걸렸다. 원인을 찾지 못해 급작스럽게 떠나야 했다. 그런데 그는 사랑하는 조카에게 자기의 죽음을 알리기 싫었다.

각다분한 인생, 미련은 없었다. 조카를 위해 특별한 선물을 준비했다. 15년 치의 선물을 미리 사두고, 각각의 선물에는 따뜻한 마음을 담아두었다. 그리고 매년 찾아오지 못해 미안하다는 말과 매년 도움이 될만한 이야기들을 편지에 적어두었다.

시작은 항상, 사랑하는 한별이에게.

어쩐지 편지도 이상하고 선물들도 촌스러웠다.

나의 사랑하는 빵꾸똥꾸 삼촌.

메멘토모리

그는 자신이 특별한 능력을 가지고 있다는 걸 알고 있었다. 그럼에도 본인은 종종 하루를 반복해서 살고 있었다. 그것을 깨닫기까지 많은 시간이 걸렸다. 이 반복되는 하루는 저주이자 축복이었다. 자신이 무엇을 찾고 있는지, 자신이 누구인지를 잊어버렸다가 현실로 돌아오기를 반복했다. 혼란스러움과 절망 속에서 자신의 존재 의미를 찾아야 했다. 새로운 길을 찾고 싶었지만, 항상 같은 하루의 끝은 그를 지치게 했다. 다른 사람들은 시간이 흘러가고 있는가?

아이러니하게도 그의 고통은 다른 사람들에게는 도움이 되었다. 아침에 계곡을 가서 저녁에 뉴스로 만나는 친구. 멈춘, 반복되는, 지겨운 시간 속에서 그는 친구를 여러 번 살린 적도 있었다. 이제는 귀찮아서 가끔 외면하기도 했지만, 내일이면 다시 살릴 수 있으니까. 그는 죄책감에서 점점 멀어져갔다.

어느 날이었다. 오랜만에 시간이 진행되는데 그는 혼자만 마음이 어제였다. 이상하고, 무서웠다. 시간이 흘러간다는 느낌은 그에게 너무 생경했다. 성인이 되고 나서 '흘러가는 시간'은 오랜만이었고, 그것은 공포로 다가왔다.

그리고 어제 귀찮아서 구하지 않은 그의 친구는 뉴스에 나왔다. 장례식장에서 영정사진으로 만난 채 시간은 흘러버렸다. 그것은 그에게 너무 아프고 슬펐다. '구할 수 있었는데.' 그의 마음에는 후회만이 남았다.

나의 존재는 무엇인가? 나는 왜 같은 나날들을 반복하는가? 그는 이러한 생각을 하다가 열차 플랫폼에서 발을 헛디디고 말았다.

언제나 완벽한 날들 중 하나가 풀린 것처럼 다가온 순간이었다.

　그는 그녀와 만났다. 더 우스운 것은 그녀와 만나자마자 그녀에게 빠른 속도로 빠져들어 자신의 모든 것을 설명했다. 그녀는 물었다.
　"하루가 멈춰 있는 건가요? 아니면 당신만이 그날에 머물러 있는 건가요?"
　남자는 시간이 흐를 때도 있고, 아닐 때도 있다고 했다. 그녀는 애매한 표정을 지었다. 남자의 손을 이끌고 무인 사진관으로 향했다. 어색하게 사진을 찍었고, 시원스레 출력된 사진의 절반을 찢어 그녀가 건넸다.
　"내일 만나요."

　하지만 그의 시계는 멈춰버렸다. 다음날도, 그다음 날도. 더 슬픈 것은 그녀와 매일 만나지 못했다. 그는 그녀가 해준 말을 기억했다.

　"메멘토 모리라는 말이 있데요. 언젠가는 죽는다는 것을 기억하라는 말. 당신이 아무리 힘들어도, 인간이니까 언젠가 끝이 있지 않을까요?"

　메멘토 모리. 사랑하는 그녀. 그는 그녀를 만나기 위해 열차에 치이는 것을 반복해야만 했다. 대략 백 번 중 한 번, 그녀를 만난다. 백 번 죽어도 하루 그녀를 만나는 날. 메멘토 모리.

사랑하는 그녀.
사랑하고 사랑하는.

부메랑

민우의 집안 사정은 여전히 어두웠다. 고등학교를 졸업하기도 전에 생활비를 벌기 위해 일을 시작해야 했다. 당시에는 지금은 사라진 상업고등학교를 다니면서, LCD 생산직에 취직하게 되었다. 생산직 근로자는 사람 대접을 받지 못하고, 회사의 부품으로 여겨지던 시절이었다. 오래 버티고 줄을 잘 서고 머리가 좋은 '부품'은 P2, 서브리더, P3를 넘어 조장, 직장, 대리, 과장 순으로 진급할 수 있었다. 그렇게 하면 나이가 들었을 때 사무실로 빠질 수 있다는 막연한 기대와 희망을 품고, 어떤 대우를 받더라도 '예'라고 하며 일했다.

동욱은 매년 들어오는 신입 중 한 명을 골라 괴롭히는 사람으로 악명이 높았다. 그녀는 애교 많던 동기 유미와 존재감 없이 죽은 듯이 지내던 민정, 그리고 시키면 무조건 '예'라고 하던 민우 셋 중 민우를 괴롭히기로 마음먹었다.

아침 미팅 때마다 인폼이 끝나면 "알아들었어?"라고 물으며 그의 머리를 볼펜으로 툭툭 치곤 했다. 민우는 그럴 때마다 웃으며 "네"라고 대답했다.

민우는 미친 듯이 메모를 했고, 그의 인폼노트는 다른 사람들이 빌려볼 정도였다. 나중에는 동욱이 시켜서 그 노트를 정리해 사내 메신저로 배포하곤 했다. 그녀의 말 한 토씨라도 틀리면 직조장실에 불려가 무선 전화기로 머리를 계속 '툭툭' 맞았다. 손가락으로 가슴께를 찌르는 것은 드라마에서나 볼 법한 일이었지만, 동욱에게 직접 당한 것은 처음이었다.

동욱은 나중에 민우의 사투리가 거슬린다며, 사투리를 쓸 때마다 글라스를 버리는 폐기 대차 청소를 시켰다. 그 일로 인해 민우의 손은 매번 다쳤다. 종종 만나는 사람들은 어떻게 경상도 사람이면서 사투리를 하나도 안 쓸 수 있느냐고 물었지만, 폐기 대차 청소가 너무 싫어서 사투리를 고친 것이 더 쉬웠다고 말하기는 길어서, 그냥 "사투리를 싫어하던 선배가 있었습니다." 하고 넘어갔다.

동욱이 결혼한다며 청첩장을 준 날, 민우는 이런 사람이랑 평생을 함께하려는 사람이 있다는 사실에 찝찝한 기분을 떨칠 수 없었다.

부서가 바뀌고, 타지역으로 발령 난 후 몇 년 뒤였다. KTX를 타고 고향으로 가려고 기다리는데, 어디선가 큰 소리가 들리며 부부가 싸우고 있는 모습이 보였다. 고개를 돌려보니 동욱이었다. 살이 많이 붙었지만, 그녀를 바로 알아볼 수 있었다. 왜냐하면 예전에 민우에게 하듯 배우자의 머리를 '툭툭' 치고 있었기 때문이다. 그와 동시에 배우자가 그녀의 뺨을 후려쳐서 민우는 깜짝 놀랐다. 20여 년 전에는 길바닥에서 귀싸대기를 맞는 일은 상상도 할 수 없었다.

높은 언성이 오가고, 배우자는 에스컬레이터로 화난 걸음을 숨기지 않고 내려갔다. 동욱은 남아 분을 삭이며 민우와 눈이 마주쳤다. 그 복잡 미묘한 표정을 보고 민우는 끓어오르는 희열을 숨길 수 없었다. 그는 최대한 치사하고 야비한 표정을 지어 웃으며 그녀에게 손을 흔들고 고향으로 내려가는 기차에 탔다. 그것이 마지막으로 그녀를 본 날이었다.

두통

한눈에 봐도 그녀는 지친 듯한 모습이었다. 머리를 양손으로 쥐고 애써 두통을 억누르고 있었다. 그녀의 눈가에는 피로와 고통이 서려 있었다. 회사 사람들은 그녀를 걱정스러워하며 얼른 휴식을 취하라고 조언했지만, 그녀는 어떤 말도 듣지 않았다.

"이게 쉰다고 나아질 두통이었으면 진작 사표 내고 쉬었지."

여자는 머리를 싸매고 작게 욕설을 뱉었다. 주변 사람들은 욕을 하는 그녀를 불편해하며 흩어졌다.

그녀는 신경질적인 성격으로 알려져 있었다. 작은 일에도 예민하게 반응하고, 감정을 조절하는 것이 어려웠다. 그녀는 자신의 예민한 성격 때문에 사람들과의 관계에서 어려움을 겪기도 했다. 다행인 건 그녀는 자신이 어떤 사람인지 잘 알고 있었다.

어느 날, 그녀는 우연히 열차 플랫폼에서 발을 헛디딜 뻔한 남자를 잡아당겼다. 남자는 너무 놀란 나머지 정말 '줄줄' 울었다. 만화처럼 눈에서 눈물이 콸콸 쏟아진다는 표현이 맞았다. 아니, 그건 그렇고.

"조심해야죠! 안 좋은 생각 한 거 아니죠? 민폐라고요!"

남자는 여자를 덥석 끌어안았다.

"이런, 미친!"

여자는 남자의 정강이를 걷어찼다. 그런데도 남자는 헤헤 웃으며 고맙다고 말했다. 그녀는 무서워져서 내달렸다. 남자가 절뚝거리면서도 쫓아왔다. 어린 시절 보았던 전설의 고향에 나오는 덕대골 귀신 같았다. 그녀는 두통이 있다는 사실도 잊었다.

정말 더 이상한 것은, 미친놈인 건 분명한데 이야기는 들어줘야 할 것 같았다. 오늘 하루 종일 머리가 너무 아파 어떻게 된 것이

분명했다.

그녀는 남자의 이야기를 들으며 자신도 모르게 그에게 빠져들었다. 남자는 하루를 반복해서 살고 있다고 했다. 처음에는 황당하고 믿기 어려웠지만, 그의 진지한 눈빛과 감정은 진실처럼 느껴졌다. 그는 그녀에게 자신의 이야기를 모두 털어놓았다.

“하루가 멈춰 있는 건가요? 아니면 당신만 그날에 머물러 있는 건가요?”

남자는 시간이 흐를 때도 있고, 그렇지 않을 때도 있다고 했다. 그녀는 애매한 표정을 지었다. 남자의 손을 잡고 무인 사진관으로 향했다. 사진을 어색하게 찍었고, 시원스레 출력된 사진의 절반을 찢어 그녀가 건넸다.

“내일 만나요.”

그의 눈동자에 눈물이 그렁그렁 맺혔다. 나는 그의 모습을 보며 마음이 아팠지만, 동시에 무언가 따뜻한 감정이 피어오르는 것을 느꼈다. 그를 꽉 안아주며 다음을 기약했다.

“내일 만나요. 반드시.”

그는 울면서도 고개를 끄덕였다. 그의 고통과 슬픔이 내게 전해졌지만, 그 안에 숨겨진 희망도 느껴졌다. 우리는 서로를 놓지 않고 잠시 동안 그렇게 서 있었다. 시간이 멈춘 듯한 순간 속에서, 우리의 마음은 하나로 이어져 있었다.

“꼭 만나요.” 나는 다시 한 번 다짐하듯 말했다.

그는 눈물을 닦으며 미소 지었다. “응, 꼭.”

그를 뒤로하고 발걸음을 돌리며, 나는 우리의 만남이 단순한 우연이 아니라는 생각이 들었다. 반복되는 시간 속에서, 우리가 서로를 만난 것은 운명일지도 몰랐다. 그가 어떤 고통을 겪고 있든, 나는 그의 곁에서 함께 싸우기로 결심했다.

내일도, 그다음 날도. 우리는 서로를 기다리며 하루를 반복할 것이다. 언젠가 이 반복이 끝날 때까지, 우리는 서로를 위해 존재할 것이다. 우리의 만남은 끝나지 않을 것이다.

그를 사랑하고, 사랑받는 그날을 위해.

일 월

내 소개를 짧게 하자면 '하고 싶은 말은 하고 다니는 사람'이다. '지껄이고 돌아다닌다.'라는 표현을 자주 쓴다. 그렇다고 가납사니 는 아니다. 지금 추위에 코가 떨어져 나갈 것 같았지만 마스크는 쓰기 싫었다. 숨 막히는 느낌이 들면 그게 무엇이든 찢어 죽이고 싶었다. 한숨을 내쉬는데 입김에 앞이 가려질 정도로 추웠다. 나는 생각했다. 뭐 이런데 사는 거야? 다른 작가들은 도시에서도 글 잘 만 쓰던데, 갑자기 거세게 고개를 내저었다. 아니! 이런 불경한 생 각을? 정신 차려. 그를 만나러 가는 길이라고.

나는 예술가들을 사랑한다. 그중 하규섭 작가는 내가 가장 사랑 하는 꾸밈없는 덤덤한 글을 쓰는 작가였다. 운이 좋아 그의 취재를 할 사람을 구한다는 편집장의 말에 나는 빛의 속도로 메신저를 보 냈다.

「저요. 저요. 나. 나. 나. 제가! 제가! 제가! 갑니다. 접니다.」

하규섭 작가의 취재라니. 그의 인터뷰는 내 거야. 내 거. 내 거 라고. 평소에는 싸움에 엮이는 건 싫어한다. 물론 구경은 좋아하지 만. 원하는 것을 얻으려면 저돌적이었다. 지원을 받는다는 메신저 공지에 그녀가 두드린 청축 키보드의 타다다다닥 소리를 들은 다 른 사람들은 '조용한 미친개'인 나와 싸우지 않기 위해서 왼손으 로 ESC를 누르며 눈물들을 머금고 공지창을 닫았다. 움직임들이 그랬다.

그렇게 그의 주소와 연락처를 차장님께 건네받고 그를 만나러 가는 길. 이 첩첩산중에 정말 사람이 '거주'를 하는 게 맞나 아까 부터 의심 중이었다. 눈이 종아리까지 쌓여 발이 푹푹 빠졌다. 예술가병에 걸려서 인터뷰할 때만 잠시 와 있는 별장 같은 건 아니겠지. 털 부츠 안으로도 눈가루들이 밀고 들어와서 안에서 질척하게 녹았다. 양말은 이미 아까 젖었다. 젖은 양말이 불쾌하게 차갑다가 체온과 비슷해질 무렵 슬슬 욕지거리가 나오고 있었다. 더 중요한 것은. 그래.

"망했다."

길을 잃은 것 같다.

평소 전화하는 걸 싫어하지만, 살려면 결국 전화를 해야 할 것 같다. 연결음이 멈추고 노인이 받았다. 안녕하세요- 저는 J예요. 당신을 만나러 가는 길인데 전후좌우 심지어 위아래까지 전부 나무랑 눈밖에 없어서 당신의 집을 못 찾고 있습니다. 저를 구하러 와주실 수 있을까요? 그는 전화 너머로 날카로운 잔기침을 몇 번 하더니 침착하게 나무 기둥에 리본이 메어진 게 있는지 찾아보라 하였다. 정신을 가다듬고 천천히 둘러보니 비슥 맞은편 저 멀리 새빨간 리본이 나풀거리는 듯하다. 찾았습니다.

「거기 리본에 적힌 알파벳과 숫자를 알려주고 거기에 가만히 계시오.」

그가 말했다. 나무둥치 아래에 커다란 바위의 눈 이불을 털어내고 앉았다. 눈을 털어내도 돌에서 올라오는 냉기는 엉덩이를 시리게 했다.

"거시기 얼겠네."

털모자에 붙은 눈이 체온에 녹았다가 다시 얼면서 고드름이 되어 흔들렸다. 앉아서 풍경을 둘러보니 아름다워서 무서웠다. 하얀 캔버스에 고동색 선들을 그어놓은 듯하다. 차라리 눈을 감는 게 나

앉다. 한참 뒤, 어디선가 빠드드득 빠드드득. 눈을 깊게 밟는 소리가 들려왔다.

나는 그를 따라나섰다. 우선 느꼈던 그의 첫인상은 허술했다. 친절하지만 말은 서툴렀다. 내가 만난 일부 작가들은 키보드 워리어, 아가리 파이터였는데 하규섭은 그냥 벌목꾼 산타 할아버지 같았다. 대기업이 만들어낸 부유한 이미지의 산타가 아닌 산속에서 벌목한 나무로 조각을 해서 아이들의 선물을 만들어 줄 것 같은 그런 사람이었다. 그는 걸어가며 보이는 나무마다 이름을 아는지 계속해서 물었다. 모른다 하면 친절히 알려주었다. 이 헐벗은 나무는 낙엽송, 저건 미송. 로지폴 소나무, 저건 폰데로사 소나무.

그러니까 다 소나무라는 거죠? 그는 너털웃었다.

"소나무는 우리나라에서 참 여기저기 많이 쓰였지, 기둥이나 서까래, 대들보, 문짝 등 건축재에서부터 상자와 옷장, 뒤주, 책장, 다듬이 등 가구재, 지게와 절구, 쟁이, 사다리 등 농기구재, 소반과 주걱, 목기…"

관심 없는 대화 내용에 내 초점이 점점 사라지자, 그는 말을 줄였다. "내가 먼저 눈을 밟으면 발자국을 따라 밟아요"하며 조금 앞서 나갔다. 나는 친절한 사람에게 한없이 약했다. 한 발 한 발 그의 발자국을 따라 밟아 나갈 때마다 마음속으로 하규섭 씨의 무병장수를 빌었다. 나는 그에게 감사해서 태세를 바꾸어 조잘조잘 떠들었다. 사실은 팬입니다. 당신의 글을 좋아해요. 그는 혹시 주식이나 효소 판매를 하러 온 건 아니냐 물었다. 다단계도 아니고 육각수 팔러 온 것도 아니니 걱정하지 말라 답해드렸다.

"요즘은 부자가 되는 책들이 유행이라지?"

149

그가 웃으며 그녀에게 말했다. 부자들 많이 되라고 내버려 두세요. 돈에 밥이나 비벼 처먹으라 하죠. 하규섭 씨는 박장대소했다. 아 웃겨서 뿌듯해. 하. 나는 그의 무병장수에 지분을 얹었다.

그의 집. 집이라고 해야 하나? 그의 소설에서도 본 적 있는 듯한 나무 오두막에 도착했다. 아무리 영감이라 해도 남자와 둘만 있으면 어색할 뻔했는데 오두막 안에는 중년의 여인이 있었다. 둘은 나이 차가 상당해 보였지만, 하규섭의 눈빛과 그녀의 다정한 손동작만 보아도 그들이 무슨 사이인지는 쉬이 알 수 있었다. 긴장이 확 풀어졌다.
"이쪽은 표한나. 내 오랜 글 친구요."
'글 친구'라는 소개에 한나 씨는 눈을 동그랗게 떴다가, 입을 가리고 고상하지만 호탕하게 웃었다. 보기 좋았다. 요즘은 위험하고 관리도 불편한 연탄난로를 아직 사용하는 집이었다. 장갑을 벗어 난로 근처에서 몸을 녹이자 피부가 기분 좋게 간질거렸다. 맛있는 냄새. 한나 씨는 손님이 오신다는 말을 듣고 소고기를 넣은 토마토 비프스튜를 했다고 했다. 턱이 아릴 정도로 침샘이 자극받았다. 오두막 풍경과 어우러져 우리나라가 아닌 듯한 이질감과 동화 속으로 들어온 듯한 신선한 자극. 이래서 여기 사는 건가.

수저와 그릇이 부딪히는 소리만 달그락달그락 들렸다. 별다른 대화가 오고 가지 않아도 편안하게 먹었다. 하작가와 한나 씨는 그녀에게 불필요한 말을 건네지 않았다. 오히려 그것이 편안했다. 배가 부르니 노곤노곤 늘어졌다.
"한나의 음식을 맛있게 먹어주어 고맙소."

아이고, 이게 무슨 말씀이십니까. 제가 아무리 유교걸이라지만 맛없는 건 먹지 않아요. 맛있는 거 주는 사람 좋은 사람. 그들에게 그녀는 묻지도 않은 이야기를 하며 사진을 보여주었다. 저는 스냅 사진 찍는 걸 좋아해요. 몸무게가 시원스레 올라가도 부지런히 찍었답니다. 다이어트 정체기이긴 하지만 보신 바와 같이 주는 대로 다 처먹어서 생긴 일이니 제 자신이 괘씸합니다.

"당신을 뭐라고 부르면 좋을까요? 너무 즐거워요."

한나가 눈물까지 글썽이며 J의 이야기를 듣고 웃었다. J라 불러주세요. 그녀는 한나라고 불러달라 했다. 나이를 신경 쓰지 말아달라는 부탁도 덧붙였다. 시간이 늦었으니 취재는 내일 하도록 하는 건 어떤가요? 한나는 기침하는 규섭을 걱정스레 바라보며 말했다. 제가 여기서 자도 되는 건가요?

"그럼요. 오늘 뿐 아니라 언제든 환영해요."

한나는 그녀에게 손님방을 내어주며 이동식 화로를 가져왔다. 환기가 안 되면 위험하니 창문을 조금 열어두도록 해요. 그녀는 화로를 보며 불멍을 했다.

창문을 닫으면 죽는 건가? 안 아프게 죽는 거라면 기쁜데. 아근데 하작가님과 한나에게 민폐다. 안 되겠다. 그녀는 가방에서 하얀 약통을 꺼내 달그락거리며 보라색 알약을 입에 털어 넣었다. 이제는 익숙하게 물 없이도 삼켰다. 오늘 낯선 곳을 헤매고 긴장이 풀려서 또 자살 충동이 드나 보다. 병신 같은 뇌. 그녀는 깊은 잠에 들었다.

다음 날 아침, 그 소리는 무겁고 커다란 천이 흘러내리는 것처럼 들렸다. '사사사삭. 픽!' 하는 소리에 놀라서 눈이 떠졌다. 여기가 어디인지 파악하는 데 한참이 걸렸다.

아, 맞다. 취재를 나왔지. 방금 났던 소리가 무엇인가 확인해 보니 지붕에 쌓여있던 눈이 햇볕에 녹아 뭉쳐져서 떨어지고 있었다. 꽤나 살벌하고 묵직하네. 맞으면 멍들겠어.

그녀는 작은 가방에서 랩톱을 꺼내서 인터뷰 항목을 점검했다. 좋아. 가자. 그녀가 방문을 소리는 크게 나지 않지만 힘차게 열어 젖혔다.

"좋은 아침입니다-!"

주방에서 한나가 종이에 무언가를 열심히 스케치하고 있었고, 하규섭은 무언가를 팬에 굽고 있었다. 녹아서 눅진해진 버터 냄새가 좋았다. 집중하고 있는 한나 대신에 그가 인사를 받아주었다. 볶은 야채를 드시겠소?

아뇨. 저는 아침을 안 먹어서. J는 한나가 무섭게 집중해서 그리던 하규섭의 뒷모습이 예사롭지 않아서 더 보고 싶었으나, 한나는 쑥스러운 듯이 얼굴을 붉히더니 종이를 챙겨 방으로 사라졌다. 하규섭 씨는 그 사이 커피를 내려 그녀 앞으로 잔을 밀어주었다. 감사합니다. 어으- 고소하고 따시다.

"식사를 마치시면 인터뷰를 해도 될까요?"

"물론이요."

좋아요. 작가님. 그녀는 그가 식사를 끝내는 것을 천천히 기다렸다가 식기를 치우는 것을 보고 준비해 둔 기본 질문들을 꺼냈다. 우선 자기소개를 부탁드려도 되나요? 하규섭은 간단한 신상명세를 설명하였다. 그가 고등학교만 졸업하고 대학을 가지 않았다는 말에 그녀는 속으로 놀랐지만 내색하지 않았다.

"요즘 근황은 어떠세요?"

"보시다시피 나쁘지 않소. 다만 나는 치매가 시작되었다네."

그녀는 이번에는 키보드를 멈출 수밖에 없었소. 잠시만요. 이런 걸 말해주셔도 되나요? 입이 다물어지지 않았다. 저를 뭘 믿고 덥석 말씀하세요? 네? 편집장님이랑 친구시라고요? 제가 당신 광팬인 걸 알고 있었다고요?

"주여."

그녀는 종교가 없었지만 부끄러움에 갑자기 신을 찾았다. 하규섭은 자신의 낡은 랩톱을 그녀에게 돌려서 보여주었다. 발신인에 편집장의 이름이 적혀있었고 'J는 자네의 오랜 팬이다. 잘 부탁한다.'는 내용이 쓸데없이 길게 적혀있었다. 개살구를 잘 꾸민다니까 하여간. 그녀는 그의 인터뷰 답변 내용에 치매라는 단어를 몇 번이나 썼다 지웠다 했다. 그래도요 작가님. 이걸 제가 적어도 되는지 잘 모르겠네요.

"괜찮소."

대놓고 한숨을 쉴 수가 없어 코로 길게 숨을 내쉬었다. 복잡한 마음. 그의 작품을 몇 개나 읽었던가. 치매라니. 그녀는 마음을 다 잡고 글자를 써 내려간 뒤 질문을 수정했다. 특히 '앞으로의 계획이 어떻게 되시나요?'를 거친 손짓으로 지웠다. 질문을 수정해서 그에게 물었다.

"제가 어렸을 적에 이렇게 살아도 되는 걸까 수없이 스스로 자문했을 때 당신의 글을 읽고 위로를 받았어요. 이 기사를 읽을 당신의 팬들에게 하고 싶은 말은 무엇인가요?"

"나는 이미 유명하다시피 정신병을 앓고 있다네. 어릴 적 내 고장 난 뇌를 탓하고, 신을 저주하고, 원망하고 써 내려가던 분노 가득 찬 글들을 보았나?"

"네. 죄송하지만 저는 그 글들에 위로받았어요."

"그렇지. 원래 남의 고통과 비통, 비참함만큼 좋은 위로는 없다네."

하규섭이 웃으며 숨을 들이쉬는데 거친 가래 끓는 소리가 들렸다. 기침을 할 때마다 그의 메마른 어깨가 들썩거렸다. 한나는 조용히 그녀가 두르고 있던 숄을 그에게 둘러주고, 주방에서 무언가 김이 모락모락 나는 것을 머그잔에 부어 그와 나의 앞에 내려주었다. 그녀는 잔을 내려둘 때도 소리가 나지 않게 새끼손가락을 슬쩍 받쳤다. 우아한 움직임이 시선을 빼앗았다. 머그잔에 자줏빛 액체가 찰랑거렸다.

달큰한 시나몬향기가 풍기는 것을 맡고 한 모금 마셔보니 뱅쇼였다. 몸이 또 풀어진다. 그는 한나의 여성스러운 머스터드색 숄을 잠시 행복한 듯 썼다. 기침이 잦아들고는 말을 이어서 진행했다.

"도시를 떠나고 이 산속으로 오고 나서 나는 깨달았네. 우리는 사이프러스의 수명에 비하면 한낱 여름휴가 정도를 보내고 있지. 그것을 매일매일 느껴보니 고장 난 나 자신도 별일 아닌 거처럼 느껴졌다네. 온전히 내 상태에 집중했지. 나는 글자로 남을 걸세. 고장 난 모든 이들에게. 우리는 그냥 기형으로 자라난 담쟁이 잎 하나에 불과하다네. 고통은 자신이 무언가 대단하다는 느낌에서 기인할 때가 많지. 그렇다고 자신을 너무 초라하게 여기지도 말게. 그냥 '나'는 '나'라네."

그 이후로 몇 가지 질문들이 오가고 그녀가 집으로 돌아가려 했을 때 밖으로 나오자 구름들이 어둑하게 해를 가리더니 눈이 또 쏟아져서 그녀는 3일을 더 그들의 집에 머물렀다. 그녀는 머무는 동안 그들의 이야기를 들었다. 이것은 그가 치매라는 사실보다 더

세상에 충격적일 이야기이므로 입을 닫기로 했다. 그들은 이제는
상관없다고 했으나, 그녀의 마음이 준비가 되면 그들의 이야기를
적겠노라고 했다.

"그렇게 하세요."

한나가 웃었다.

그녀는 도시로 돌아와 그의 기사를 썼다. 그들은 이메일을 주고
받으며 종종 연락을 전했다. 3년 정도가 지나고 낯선 메일 한 통
이 와 있었다. 스팸인 줄 알고 지울 뻔했는데 발신인이 한나였다.

그녀는 메일에 그의 부고를 전했다. 그리고 그의 습작들을 그녀
에게 선물로 주었다. 이 하찮은 활자들이 당신에게 도움이 되기를
바라며.

J에게. 메리 크리스마스.

젊은 샤를로테의 슬픔

베르테르의 심부름을 온 하인이 나타났을 때 로테의 당혹은 극도에 달했습니다. 하인은 알베르트에게 쪽지를 전했습니다. 알베르트는 침착한 태도로 아내를 보고 말했습니다.

"권총을 빌려 드려요."

그러고는 하인을 향해 "여행 잘 다녀오시기를 바란다고 전하게" 하고 말했습니다. 이 말은 벼락처럼 로테의 가슴을 때렸습니다. 그녀는 비틀거리며 일어섰는데, 자신이 지금 뭘 하고 있는지조차도 모를 지경이었습니다. 천천히 벽 쪽으로 가서 떨리는 손으로 권총을 내려 먼지를 털고, 그러고는 자신을 쐈습니다.

화약의 섬광이 비치고 총소리가 크게 울렸습니다. 알베르트가 달려왔지만 이미 늦었습니다. 하인은 베르테르에게 헐레벌떡 달려갔습니다. 그 사이 알베르트는 샤를로테를 안아 일으키며 오열했으나 목구멍에서 골골거리는 소리가 희미하게 들릴 뿐이었습니다.

샤를로테는 안타깝게도 숨이 붙어있었습니다. 의사가 어쩔 도리가 없었습니다. 알베르트는 정신이 하나도 없었습니다. 달려온 베르테르에게 저택의 하인이 사건의 내용을 전했습니다.

베르테르는 권총을 기다리느라 푸른 연미복에 노란 조끼 차림이었습니다. 그 집과 이웃, 그리고 온 시내가 떠들썩해졌습니다. 샤를로테는 침대에 뉘어져 있었는데, 머리에 붕대를 감고 있었습니다. 얼굴은 벌써 죽은 사람이나 다름없었고 팔다리는 전혀 움직이지 않았습니다. 폐에서는 아직 거친 숨소리가 났습니다. 임종이 가까웠습니다.

베르테르는 억지로 떼어낼 때까지 그녀의 입술에서 떨어지지 않았습니다. 그의 푸른 연미복과 노란 조끼가 피로 얼룩졌습니다.

낮12시에 로테는 숨을 거두었습니다.

법무관이 달려와 여러 가지로 조치했으므로 소동은 가라앉았습니다. 밤 11시경, 베르테르와 알베르트는 법무관과 그의 아이들은 영구(靈柩) 뒤를 따라갔습니다.

상두꾼들이 영구를 메고 갔습니다. 성직자는 한 사람도 동행하지 않았습니다.

바닥에 떨어진 편지

첫 번째 편지

편지를 주워주신 분께, 안녕하세요. 여기는 겨울인데도 날이 푹합니다. 갑자기 남겨야 할 것 같은 강박에 저의 이야기를 보냅니다.

제 이야기를 실컷 주저리주저리 늘어놓을 수 있는 이유는 생각보다 사람들은 남에게 관심이 없어서입니다. 어디 가서 붙잡고 저는 어렸을 때 이랬고 저랬고. 이걸 누가 들어주겠습니까? 글을 쓰면 그래서 행복합니다.

제가 사랑하는 사람은 제게 글을 써주어 고맙다고 하였습니다. 글을 쓰는 나를 사랑한다 하였습니다. 제 독서는 식사와 같고 글쓰기는 배출과 같습니다.

사실 그냥 조금 단순히 말해서 먹고 싸는, 그런 일일 뿐이었습니다. 그런데 그는, 그냥 나의 단순한 행위를 사랑한다 말해주었습니다. 덕분에 죽는 날까지 그가 나를 사랑하게 하기 위해서 글을 쓸 것입니다. 언제나처럼. 두서없이.

저는 촌 동네에 살았습니다. 1층은 어머니가 일하던 가게였고, 오른쪽 마당 문을 열어 비슥 맞은편 칙칙한 회색 돌계단을 올라가면 어릴 적 나와 어머니가 살던 거실 하나에 방 한 칸 딸린 집이 나왔습니다.

창문 앞에는 플라타너스가 커다랗게 전경을 가렸지만, 그 덕에 방충망에 가끔 붙는 매미를 잡는 재미가 있었습니다. 길고 긴 언덕에 일렬로 있는 집들 사이 중간쯤 위치한 집이었습니다.

당시 집을 싫어했습니다. 잘 살던 집이 쫄딱 망한 뒤에 살던 집이기도 했고, 그 집이란 슬픈 기억들로만 꽉꽉 차다 못해 넘치는 그런 곳이었기 때문이었습니다. 크게 세 가지 슬픈 기억 중 첫 번째는 어머니가 새벽에 급작스럽게 "일어나 봐라. 배웅 나가야 한다"하며 눈물범벅이 된 모습이셨는데, 무엇이 슬프게 하는지 파악도 못 했지만, 어머니가 울어서였을까요?

같이 울며 따라 나갔습니다. 언덕 아래로 빡빡 밀은 머리카락의 뒤통수가 점점 사라지는데 그게 둘째 형제의 뒤통수라는 걸 쉽게 알 수 있었습니다.

저와 형제는 나이 차가 꽤 났습니다. 어머니가 어렸을 적에 결혼한 탓도 있고 제가 늦둥이로 태어난 탓도 있었습니다. 여하튼 그래서 그 동네에 작은오빠의 나이를 가진 사람은 없었으므로 그가 확실했습니다.

지독히 가난해진 집구석 난방도 제대로 못 하는 집에, 갓 성인이 된 둘째 오빠가 입 하나 덜겠다고 군대를 덜컥 지원해서 떠나버린 것이었습니다. 그날부로 어머니와 둘이 남았습니다. 다른 남매들은 진작 흩어졌기 때문이었습니다.

그 집은 뒷문을 열면 마당에서 콘크리트 틈새를 부수고 나와 자라난 오동나무가 보이고, 좁은 베란다에 빨래를 널 수 있었습니다. 세탁물을 넣어두면 허구한 날 지나가던 동네에 게으르고 불량한 청년들이 몇 남지 않은 비싼 옷가지들을 살그미 훔쳐 가곤 하던 그런 집이었습니다. 기억하시겠지만 예전엔 흔한 일이지 않았습니까? 제가 집에 있을 때도 심지어 도둑놈이 들기도 했습니다. 운좋게도 어린아이와 칼 들고 찾아온 어설픈 도둑이 마주쳐 해프닝으로 끝난.

당시에는 '어머니가 보낸 종업원인가'하고 묻는 말에 낭창하게 전부 대답했던 것이었습니다. 도둑은 털어갈 게 있는 장소를 캐내

163

고, 본인의 안전을 위해 질문을 몇 가지 했습니다 .

"아버지는 어디 계시니?"

"안 계세요."

"어머니는 어디 계시니?"

"돈 벌러 가셨어요."

"다른 가족은 있니?"

"형제는 군대에 가고 언니는 집을 나갔어요."

"…어머니는 가방이나 반짝거리는 보석 같은 걸 어디 두시니?"

"다 가지고 가세요."

아버지와 살 적부터 쓰던 옷장을 도둑이 뒤적거리다 가져갈 게 없는 걸 확인하고는, 그는 뒷문으로 들어와 놓고 뻔뻔히 정문으로 나가려다가 뒤돌아보고 주머니를 뒤적이더니 내 손에 지폐를 쥐어 줬습니다.

시커멓고 질척거리는 신발 자국이 바닥에 그대로 찍히며 쩍쩍 소리를 내었습니다. 이야기하면서 다시 생각해 보니, 도둑놈의 새끼도 불쌍해하는 집안이었구나 싶습니다.

햇빛 한 점 들지 않는 북향집, 불을 켜도 켠 거 같지도 않은 시원찮은 형광등에 익숙해질 무렵 친구가 생겼습니다. 단발머리에 원피스를 깔끔하게 입던 친구였습니다.

제 머리를 잘라도 주고, 묶어도 주던 언니는 집을 나간 지 오래였습니다. 어머니는 옷을 잊지는 않고 사주셨지만 학교 갈 무렵 엔 이미 가게에 나가시고 항상 집에 계시지 않았기 때문에 제 꼴은 엉망이었습니다.

커서 자식을 낳고 생각해 보니, 부모가 관리를 못 하고 있다는 게 티가 났을 거 같습니다. 그런 제게 그 친구는 참 어울리지 않았습니다. 그 친구랑 놀다가 어느 날인가 집에서 무엇을 가지고 와야 한다고 해서 따라갔습니다.

친구의 집은 언덕 위쪽에 자리하고 있었고, 그녀의 어머니는 피아노 학원 선생이었습니다. 섀시 문을 왼쪽으로 드르륵 열고 들어가면 작은방마다 피아노들이 있고 정면에 있는 중간 문을 다시 열면 그 친구의 집이 나왔습니다.

누가 들어오라고 하지 않는 이상, 남의 집에 들어가는 건 안 된다고 배웠으므로 학원 입구에 서서 운동화 앞 코를 벽에 툭툭 차며 멀거니 피아노를 쳐다보고 서 있었습니다. 가장 가까운 첫째 방에서 교습하던 친구의 어머니가 나왔습니다. 나름 배운 대로 예의 바르게 인사했으나, 친구의 어머니는 무언가 석연찮은 표정으로 내려다보셨습니다.

잊은 물건을 가지고 나온 친구와 같이 커다란 느티나무가 자리한 놀이터에 가서 놀면서 이내 곧 그 기억을 지워버렸습니다. 친구랑 있는 게 그 정도로 즐겁고 마음이 잘 맞았기 때문이었습니다. 일주일 뒤쯤인가? 친구가 이상하게 서먹하게 구는 것이 못마땅했던 저는, 왜 그런지 친구에게 물어보았습니다. 친구는 이마적 들은 이야기가 있다고

"어머니가, 너네 엄마가 물장사를 한다고 같이 놀지 말래."

우리는 '물장사' 그 뜻을 몰랐으나 그 시대 당시엔 부모님 말씀이 하늘 같은 말씀이었으므로 '어쩔 수 없지' 생각하고 친구에게 그냥 알겠다고 대답하고 집으로 돌아왔습니다.

여느 때처럼 머리방울 같이 주렁주렁 달린 플라타너스 열매를 구경하면서 하교를 했습니다. 1층에 어머니의 가게에 들어서면 오픈 준비를 하던 가게 종업원이 있었는데, 그녀는 항상 종이 접는 법을 알려주었습니다. 그녀에게 물장사가 무어야? 묻자 급격히 표정이 어두워지며 "사장님!"하고 외쳤습니다.

나는 뭔가 내가 잘못했다는 것을 직감했습니다. 어머니가 주방에서 나와 그녀와 몇 마디 나누는데, 저는 심심해서 가게를 돌아다니며 요란하게 싸구려 자수가 매끈매끈하게 새겨진 소파 틈새에 낀 휴짓조각 따위를 빼며 돌아다녔습니다. 그날 그녀는 가게를 일찍 닫고 집에 올라와서는 저녁 식사를 챙겨주고, 혼자 덩그러니 작은 접이식 동그란 밥상에서 술을 마셨습니다.

어머니는 그냥 계속 우셨습니다. 차마 우는 어머니를 두고 먼저 잘 수가 없어서 문 앞에서 기웃거리자, 어머니가

"문지방 밟지 마라. 좋은 기운이 달아난다. 먼저 자라."

문밖에서는 어머니가 울고, 방 안에서는 내가 울었습니다. 베개가 불쾌하게 축축이 젖어 차가워져서 뒤집어야 할 정도로. 가게를 팔고 우리는 플라타너스가 가득한 그 동네에서 이사했습니다. 영업장을 오픈해 주던 예쁜 사람. 갈리아노. 그 기다란 술병에 종이거북이를 층층이 가득 접어 채워서 줬던. 코르크 마개, 투명하고 각진 설탕 병에는 매끈거리면서 반짝거리는 별 종이로, 별을 가득 접어줬던 그 착하고 이쁘던 언니와도 헤어져야 했습니다.

안녕, 친절한 사람. 잘 지내길 바라봅니다.

이게 그 집구석에서 기억하는 커다란 세 번째이자 마지막 슬픈 일이었습니다. 이 편지를 누군가 주워주셨을까요? 누군가 제 이야기를 읽어주셨을까요? 나는 여기에 편지를 놓고 자리를 떠납니다. 부디 건강하시기를.

두 번째 편지

오늘은 질투 나게 아름다운 하늘입니다. 두 번째 편지를 같은 장소에 남깁니다. 지나가다 편지가 사라진 것을 보았습니다. 읽으시는 분이 있다는 말씀이죠! 저는 그렇게 믿기로 했습니다.

작년 가을은 참, 아름다웠었습니다. 은행나무들이 옷을 갈아입을 때 멀리서 보면 형광색으로 보이는 그 느낌이 좋았습니다. 고개를 들어 하늘을 한 번 보니 겨울이 오고, 한숨 한번 내쉬니 눈이 미친 듯이 내리더군요. 시간은 빠르게 흘러갑니다.

제 어머니의 이야기를 해볼까 합니다. 미리 부탁을 드리자면 제 이야기를 가볍게 읽어주셨으면 좋겠습니다. 어머니는, 그녀는. 협박을 아주 잘하십니다. 어디서부터 이야기를 해야 하나 고민해보겠습니다.

아, 그게 좋겠군요. 마침 얼마전에 애들 좀 때려가며 키울 때가 좋았다는 이야기를 들었습니다. 맞는 게 당연하던 시절이 있었습니다. 맞습니다.

어렸을 적 놀이터에서 숨바꼭질을 자주 했었습니다. 한 명은 키가 제 반 토막만 한 친구였고, 저는 그녀의 병명이 잊히질 않는데 류머티즘이었습니다. 키가 안 자라는 이유는 제가 의사가 아니라 아직도 모르겠습니다.

여하튼 또 다른 한 명은 부모님 두 분 다 돌아가셔서 할머니 손에서 자란. 동네에서 '아버지 없이 자란' 저까지 포함해서 어른들이 말하는 '끼리끼리' 논다는 3인방이었습니다. '끼리끼리'들은 저희 집. 저번 편지 때 말했는데 혹시 기억나실까요? 그 플라타너스 집에 어느 날 모이게 되었습니다. 숨바꼭질을 하느라 한 명은 옷장에. 한 명은 우리를 찾고 있고, 저는 침대 밑에 숨었습니다. 즐겁고 행복했습니다. 갑자기 현관문 열쇠 소리가 들리고 그녀가 왔습니다.

"너네는 뭐니? 우리 재경이는? 그래. 우리 집에서 나가라."

그 어떤 술래보다 무서운 사람이 나를 발견하지 않기를 바랐지만 침대 밑에서 그 사람과 눈이 마주쳤고, 다리 한쪽을 잡혀서 끌려 나왔습니다. 침대 아래 조금 길게 되어있는 부분에 이마가 콱 부딪혔지만, 그 사람한테는 별로 관심사가 아니었습니다.

"집에 더럽게 친구들 들이지 말라고 했어, 안 했어?"

잘못했어요. 잘못했어요. 빌고 또 빌었습니다. 사실 친구가 온 게 처음이었습니다. 들이지 말라고 하신 적이 없다는 이야기입니다. 그냥 맞기 싫어서 잘못했다고 했습니다. 뺨을 때리기는 어머니도 좀 그랬는지 대각선으로 살짝 비켜서 머리를 계속 때리셨습니다. 세게 맞으면 '짝, 짝' 소리가 아니라 둔탁하게 '빡, 퍽' 소리가 나고 눈앞이 노래집니다. 아프고 슬펐습니다. 그리고 살려달라는 말이 계속 나왔습니다.

화가 풀리시면 그제야 숨을 거칠게 내쉬면서 우셨습니다. 우시면 더 슬펐습니다. 제가 잘못했어요. 그녀는 대답하지 않았습니다.

어린 시절 저는 집 문 밖으로 쫓겨 나와서 웅크리고 울고 있었습니다. 그 당시에는 그렇게 쫓겨나서 울면 애가 잘못한 거였습니다. 동네에서 저는 어머니 속을 썩어 문드러지게 하는 쓰레기 같은 자식이었습니다. 그리고 저녁엔 술 한 병과 정체불명의 약을 한 봉지 다 까서 접시에 엉기정기 놓고 이걸 먹고 죽고 싶냐고 했습니다. 아마 감기약이었던 거 같기도 합니다.

저는 다 자라 마흔이 넘어버린 지금에야 저의 우울과 평소의 들뜸이 조울증 탓이라는 걸 알았습니다. 다음 주에 정신과에 내원합니다. 선생님께는 제 양극성장애가 학습된 걸 수도 있는지에 대해 여쭤볼 참입니다.

나의 행복한 하루의 시작이 항상 빌어먹을 불행으로 끝났기 때문이냐고.

세 번째 편지

날씨한테 이런 표현을 쓰는 게 맞을까요? 아름다운 날씨입니다. 세 번째 편지를 씁니다. 같은 분께서 주워주신 걸까요? 편지는 매번 사라졌는데 그냥 버려지거나 바람에 휩쓸려 사라지는 걸까요? 사실 궁금하지 않습니다. 읽는 분이 있으시다면 웃어주세요.

두 번째에 이어서 어머니의 이야기를 더 해보려 합니다. 그녀가 협박을 아주 잘한다고 했는데 기억이 나실까요? 제가 그녀에게 더 이상 맞고만 있지 않게 되었을 때는 학교를 보내지 않겠다며 협박하셨습니다. 공부를 잘하지는 않지만 학교를 가면 마음이 가장 편안했는데, 그녀는 제 안식처를 부수려 했습니다.

지금 생각하면 어머니가 그럴 리가 없는데 말입니다. 그녀의 화풀이 대상이 될 때면 저는 제발 학교를 보내 달라고 빌어야 했습니다. 그러다 고등학교 3학년이 되었습니다. 대학에 가고 싶다 했더니 멱살이 잡혔습니다. 집이 넘어가게 생겼는데 너는 이렇게도 이기적인 아이냐며 흔들렸습니다. 교수가 학비도 면제해 준다고 했는데, 가고 싶은데 어쩌라고요? 어머니께 말씀드렸습니다. 조금 더 고분고분하게 말씀드릴 걸 그랬나요?

그녀의 눈. 눈이라고 하기도 뭣한. 눈깔이 뒤집혔습니다. 짐승 같았어요.

니트가 잡힌 채로 베란다로 끌려 나갔습니다. 방충망을 거칠게 열어 저를 밀려고 하셨습니다. 살려주세요- 잘못했어요. 습관적인 사과를 했습니다. 아주 학습된 사과예요. 네가 뭘 잘못했는지 아느냐고 되물으셨습니다. 저는 아직도 궁금합니다. 그게 그렇게 잘못된 일인가요? 공부를 하고 싶었을 뿐인데 말입니다. 그래도 잘못했다고 했습니다.

다행히 옷을 놓으실 생각은 없었는지 니트의 목부분이 가슴께까지 늘어났습니다. 그런데 한 가지 확실했던 건, 이 사람이 빈말이 아니라 나를 죽일 수도 있겠구나. 싶었습니다. 그 날 이후로는 적어도 내 생은 내가 끝내고 싶었습니다. 티셔츠가 늘어나서 팽팽해지니 목을 다 긁어놓았습니다. 마치 교수형에 처해졌다가 살아남은 사람의 자국처럼 보였습니다. 그래서 고등학교 졸업도 전에 공장에 취직했습니다. 성인이 되어서는 회사에 찾아가겠다고 협박했습니다. 협박에서 벗어나고 싶어서 회사를 때려치워 버린 적도 있습니다. 그랬더니 본인 목숨으로 협박하셨습니다. 몇 년 지나자 그게 무섭지가 않았습니다.

그래? 그럼 죽어버려 잘됐네. 했습니다.

협박은 거기서 끝나지 않았습니다. 결혼식날 까지도 이어졌습니다. 엄마 없이 한번 빈자리로 결혼해보고 싶느냐며 협박하고, 이제 좀 행복해지려 연락을 안 받으려 하면 시부모님에게 전화를 하셨습니다. 협박의 원인은 대부분 돈에 있었습니다. 항상 지긋지긋하게 하는 소리는 '키워준 은혜'인데, 저를 금전적으로 키운 건 어머니의 친구분이셨습니다. 어머니가 가진 돈은 없었고, 학교만 가면 아버지 없는 자식이라고 맞고 오거나, 따돌림당하거나, 불려 가거나. 그녀가 학교를 안 보내려 하자 친구분이 전부 다 지원해 주셨습니다. 수목 관련 일을 하시는 분이셨습니다.
제가 지금은 사랑하는 자연들. 나무도 풀도, 가로수도, 이름 모를 나무에 다닥다닥 붙은 곰팡이 같은 것이 지의류라는 것도 전부 그분이 알려주셨습니다.

그분의 자녀분들은 저를 '거지새끼'라 불렀습니다. 어렸을 때는 듣고 기분이 상했는데, 커서 생각해 보니 남에게 빌어먹고 사는 사람을 거지라 일컫는 게 맞잖아요. 은인이 똑똑한 만큼 자녀분들도 똑똑했네. 이런 생각을 했습니다.

네 번째 편지

안녕하세요. 이쯤 되면 누군가가 제 편지를 주워가주시는 듯하군요. 네 번째 편지를 씁니다. 오랜만입니다.

저희 집 뒤의 꽃가게에 애니시다와 국화꽃이 메말라 얼었습니다. 봄이 되면 푸릇한 싹들이 올라오겠죠. 오늘은 일찍 잠이 깼습니다. 밖에 소음들도 잠든 이 아무 소리도 색깔도 없는 시간에 편지를 쓰는 것이 좋습니다.

2주 전쯤에는 어머니가 칠순을 맞이하셨습니다. 시간이 언제 이렇게 흘렀는지 알 수가 없습니다. 그 무섭던 사람이 작아 보입니다. 서프라이즈 박스를 처음 준비해 보고 있는데 잘 안된다고 언니에게 연락했습니다. 그녀는 말했습니다.

"노력하는 자세가 중요합니다."

박스를 열면 원래 나비가 날아가야 하는데 박스 안에서 자기들끼리 엉켜서 짜증이 났었습니다. 그 이야기를 하며 인생은 참 뜻대로 되는 게 하나도 없어. 계속 말 안 들으면 나비는 두고 갈게.라고 말했습니다.

"말 안 듣는 거 다 두고 오면 엄마네 갈 사람이 없겠는걸, 그냥 데리고 오렴. 너희 아이가 갖고 놀면 되잖니."

평생토록 셋째 형제를 이겨본 적이 없습니다. 이번에도 말씨름에서 밀렸습니다. 드라마에서 '짜잔' 하고 칠순이 뚝딱 완성되던데 저희 집은 왜 이렇게 손이 많이 가는 걸까요? 새벽 2시에 시작했는데 손이 느려서 5시 반이 되어서야 끝났습니다.

뒤늦게서야 정신과에서 처방받은 저녁 약을 안 먹었다는 걸 알았는데, 먹을지 말지 한참 고민하다가 혹여라도 식구들 앞에서 불안정한 모습이나 난폭한 게 보일까 봐 그냥 약을 먹기로 하였습니다.

다음 날, 고향에 도착해서 첫째 형제가 예약한 식당으로 갔습니다. 가게 입구에는 수크령을 예쁘게 심어두어서 그것이 살랑살랑 흔들리는 모양새가 간지러웠습니다. 밤새워서 만든 박스에 나비가 호를 그리며 날아오르는 게 아니라 공격적으로 날아오르는 바람에 어머니가 질겁하셨습니다.

어머니는 결벽증이 있으셔서 벌레도 무서워하십니다. 그 사실을 간과하고 '장난감이니까' 했는데 결과적으로는 놀리는 꼴이 되었습니다. 하지만 어머니는 기뻐하셨고, 우리는 그걸로 되었습니다. 그렇게 생각했습니다.

이어서 제 상황을 설명하려면 잠시 아버지에 대한 이야기를 해야 합니다. 아버지는 도박으로 운영하던 전자제품 대리점을 날리고 빚더미에 올라 어머니와 위장이혼을 했습니다.

아버지는 의처증이 심해서 결혼생활 내내 어머니를 끊임없이 괴롭혔습니다. 어머니가 장을 보러 나갔다 오면 아래층 남자를 만났느니, 어쨌느니 하던 사람이었습니다. 어느 날 찾아온 아버지는 어린 제 앞에서 어머니의 머리를 커피잔으로 후려쳤습니다. 그것이 처음이었습니다. 나는 셋째 형제와 그 이야기를 무덤덤하게 하면서. 그런데 아버지 죽은 거 언제 이야기해 줄 거야? 물었습니다.

"뭐 좋은 이야기라고"

저는, 약간 못마땅했습니다. 아니- 어머니를 과거에서 이제는 놔줘. 무서워하시잖아.

"커피잔으로 후려 맞으신 거 한번, 두 번째는 죽이겠다고 찾아와서 둘째가 제압해서 경찰서 잡혀가서 접근금지 처분받은 거 한번이잖아. 잊고 사는데 왜."

그녀에게 마지막은 왜 빼느냐 물었습니다. 금시초문인데 무슨 이야기를 하는 거냐, 둘이 대화가 삐거덕거렸다. 내가 싫어하는 집 있잖아. 플라타너스가 해를 가려서. 그 어두컴컴한 집. 도둑이 들어서 나랑 마주쳤던, 그 거지 같던 집에서 엄마가 시커멓게 어두운 밤에. 산에 끌려갔잖아, 아버지한테. 대화가 잠시 멈추고 그녀는 처음으로 말을 더듬었습니다.

"나는… 나는 그런 거 몰랐어. 너와 나는 말이 자주 어긋나. 네 기억이 왜곡인지 아닌지 다시 생각해 주길 바라."

어머니는 꽤나 이기적이고, 소녀 같고, 엄살이 심해서 자식들에게 본인이 겪은 수모를 전부 이야기했을 줄 알았습니다. 막내인 나만이 어머니와 내내 붙어있어서 알았던 겁니다.

어머니가 아버지에게 산에 끌려가 낭떠러지에 굴려져서 죽을뻔하고 쓰레기통에 숨어서 날이 밝고 나서야 들어온 날을.

저는 조울증뿐만이 아니라 망상장애도 있습니다. 그래서 그것이 어린 시절 제가 망상으로 꾸며낸 상상인지 있었던 사실인지 그녀에게 직접 확인을 했습니다.

어머니는 그렇지. 그런 일이 있었지. 하고 끄덕였습니다. 그리곤 제가 물었습니다. 엄마는 아빠가 이제 죽었으면 좋겠어? 그녀는 저를 쳐다보지 않고 대답했습니다.

"뭐. 그냥 아무 생각 없어."

어머니는 잠시 웃음이 멈추더니

"그 사람 죽었니?"

응. 엄마는 왜 자식들한테, 끌려가서 죽을뻔했다고 말을 안 해줬어. 막내인 나만 빼고 다들 모르던데. 칠순이 끝날 무렵 우리는 울면서 웃었습니다. 어머니는 홀가분해 보였었습니다. 선물상자에 붙여 둔 알록달록한 꽃들 같은 하루인 줄 알았습니다.

그건 우리만이었습니다. 어머니와 언니만을 제외한 우리만이.

도저히 맨정신에 편지를 이어가지 못해서 술김에 이야기를 이어 봅니다. 칠순은 망했습니다. 어머니는 본인 수중에 들어오는 현금보다 '다른 사람'한테 쓴 돈을 아까워했습니다.
'다른 사람'은 자신의 자녀들과 며느리, 사위가 포함입니다. 그냥 본인이 제일 중요한 사람입니다. 부끄럽고 그녀가 증오스럽고 밉습니다. 나는 그녀를 안고 뛰어내리고 싶거나, 차를 타고 어디론가 들이받아 같이 죽고 싶을 정도로 그녀에게 분노를 느끼곤 합니다.

부모자식 간은 윤회를 거듭한다지. 나는 그녀와 다시 만나지 않기를 바입니다. 나의 어머니에게. 우리 돌고 도는 회전목마에서 내려요. 다시는 우리 만나지 말아요.

다섯 번째 편지

영혼이라는 게 정말 있다면, 나는 굶주린 영혼(Preta)이 아닐까 생각합니다. 이번엔 앞전 편지를 가져가지 않으셔서 다섯 번째 편지와 함께 놓아둡니다. 별고 없으시길 바라고 있습니다.

편지를 가져가지 않으시니, 온 신경이 여기로 가 있습니다. 마음이 헛헛합니다. 일층 상가 화분에 주목나무가 죽어 비어 있었습니다. 빈자리가 보기가 싫어서 뿌려두었던 코스모스 씨앗이 뒤늦게 가을인 줄 알고 자라서 꽃이 피었습니다. 이번엔 무슨 이야기를 적을지 생각해 봤습니다.

형제들은 저와 나이 차이가 많이 납니다. 유난히 어머니께서 동안이라 자랄 때 저는 무난히 컸습니다. 가세가 기울어 보통 입양을 보내면, 잘 모르고 어리숙한 막내를 보내야 하는데 다들 저를 보내는 건 말도 안 된다며 운동특기생인 큰오빠가 불임부부의 집안으로 입양을 갔습니다.

그분들이 그의 팬이기도 했기 때문입니다. 문제는 한창 선수로 잘 나갈 때 양부모가 임신하는 바람에 그는 낙동강 오리알이 되어 그 집안에서 지원이 끊겼습니다. 결국 외조부모님과 외삼촌이 그를 키웠습니다.

편지에는 이렇게 구구절절 약한 소릴 하지만, 첫째 형제 앞에선 그 어떤 나약한 말도 할 수 없습니다. 웃기게도 어머니는 첫째 형제를 종종 나쁜 놈 취급을 하시곤 하십니다. 사람이 어떻게 저럴 수 있는지 싶습니다. 어머니에게는 본인 외에 다른 사람들이 모두 나쁜 사람입니다. 물론, 아버지는 '나쁜' 사람이 맞습니다. 맞을까요? 글자로 적으니 이상하네요.

그의 이야기를 하려면 그의 부모인 할머니부터 설명해야 합니다. 저희 집 본가 할머니는 총 세 분이었습니다. 할아버지의 가벼운 아랫도리로 인해 본처, 후처, 첩실 이렇게. 그 당시 때 아직도 남아있던 우리나라의 기방(妓房)에서 셋째 할머니에게 오입질을 해서 아버지가 태어났습니다. 둘째 할머니는 사람 쫓아내기의 달인이셨습니다. 본처였던 할머니는 절에서 거주하는 재가자로 만들었습니다. 그러고선 인물 좋은 기생이셨던 친할머니를 다른 집에 시집보낸 대단한 능력자셨습니다. 그의 사정을 다 알진 못합니다. 하지만 돈만 많은 썩은 집이었다는 건 저 단편적인 부분만 봐도 알 수 있지 않습니까? 아버지는 그 하수구 같은 친가에서 사랑이라는 게 뭔지도 모르고 자란 괴물과 같았습니다.

신기하게도 가정폭력 집안은 다 비슷비슷한가 봅니다. 여느 집과 똑같이 어머니를 때리지 않을 때는 좋은 아버지셨습니다. 가족들을 데리고 산으로 강가로 떠나서 길가에 잡풀들, 들꽃들 이름도 알려주고 라면을 끓여 물에 헹궈서 종이컵에 담아주시면 나는 그걸 맛있게 먹고. 차라리 아름답지나 말지 하는 추억들이 있었습니다.

그가 도박으로 날린 전자제품 대리점이 압수당하고 그가 어머니와 위장이혼을 했을 때 사업장이 망했어도 그의 수중에는 휴대전화 대리점 하나 차릴 여유는 되었습니다. 하지만 그의 친구가 슬롯머신으로 유혹했습니다.

요즘 중국에서 이 슬롯머신 사업이 뜨는 중이래. 나라로 가져와서 한탕을 해보자. 그는 가족을 두고 중국으로 건너가 직접 눈으로 사기당한 걸 보고 돌아왔습니다. 돌아오는 길. 같이 밑천을 다 날려버린 사람 중 외투가 없어 덜덜 떠는 사람에게 옷까지 벗어다

주고 춥고 헐벗은 채로 집으로 돌아왔었습니다.

그가 선택할 수 있었던 버려진 선택지는 M회사를 맹렬히 추격하던 A사 전화기였습니다. 우습게도 그가 대리점을 차렸어도 그 회사 회장의 전화기 화형식을 보았을 것이고, 슬롯머신이 진짜였다 한들 훗날 물거품 되어 사라지는 불법 도박장 밖에 더 되었겠습니까?

'만약'이라는 건 '없다'와 같다. 그렇죠 아버지? 가끔 이렇게 창밖을 보고 그를 떠올립니다. 그는 살아생전 저를 어떻게 생각했을까요?

"영감 성격에 자존심만 세서 힘들면 연락하고 싶어질까 봐 우리를 차단했을 거다."

참으로 외롭고 쓸쓸한 괴물의 죽음이었습니다.

여섯 번째 편지

며칠 전에 남긴 편지로 제 아버지의 이야기는 나름 객관적으로 적은 것 같으나, 어머니에 대해서는 변명을 하지 않은 것 같아 이렇게 한 장을 남깁니다.

외할머니는 1950년에 남편을 잃고 전쟁을 피해 도망쳐서 아래 지방에 자리를 잡았습니다. 어느 다리 아래에서 노숙자처럼 옹기종기 모인 사람들 사이, 어머니의 새아버지. 외할아버지를 만났는데, 전쟁통에 떨어져 있는 수류탄을 만년필로 보고 집으려다가 팔이 하나 날아가서 외팔이었습니다.

그녀가 혼자 살았다면 조금 덜 불행했을까? 그것은 일어나지 않은 '만약'이므로 아무도 알 수 없습니다. 하지만 적어도 어린 어머니의 앞에서 외할머니가 계부의 남은 팔에 머리채가 붙잡혀 매일 벽에 머리를 찧는 모습은 안 보았겠지. 그런 생각을 합니다.

덕분에 어린 나이에 어머니는 외팔이의 남은 팔 힘이 어마어마하다는 걸 알게 되었습니다. 요즘 시대라면 상상도 못 할 가정폭력들이 이어졌습니다. 그 와중에 외할머니댁 앞의 철길, 거기서 어머니의 동생도, 언니도 기차에 치여 죽었습니다. 정상일 리가 없었습니다.

그렇게 가족들의 폭력적인 무관심 속에 살아온 아버지. 가정폭력 속에서 살아온 어머니가 만나 결핍 가득한 가정이 생겼습니다. 그리고 저를 만들었습니다. '낳았다'는 표현은 너무 아름다운 것 같습니다. '어쩌다 만들었습니다'가 적당하겠습니다. 오늘은 용무가 있어 짧게 줄입니다.

일곱 번째 편지

행복을 눈앞에 두고도 가지지 못해 몸부림치는 나의 이야기를 읽어주는 이름 모를 친구에게.

알고 계신가요? 우리나라 말로 애물단지의 '애물'은 어린 나이에 부모보다 먼저 죽은 자식을 일컫는 말입니다. 한자로는 참혹할 참, 서러울 척을 써서 참척(慘慽)이라고 합니다. 참척은 사실 참혹하고 서러운 마음을 나타내는 거지, 일컫는 말이 없다는 뜻입니다.

가을이면 만삭의 몸으로 행복하게 웃던 언니가 생각납니다. 어렵게 조카를 낳았던 그 모습. 그 이야기를 조심스레 꺼내 봅니다. 저는 절대 아이를 낳지 않겠다고 생각했었습니다. 핏줄 터진 눈. 꽉 다물어서 잇자국에 피딱지가 앉은 입술. 꽉 쥐어서 손톱이 박혀 멍울이 진 손바닥. 그럼에도 그녀는 행복하게 웃었었습니다. 그렇게 낳은 영화의 조카는 우리 가족의 아름다운 세상이 되었습니다. 조카는 무럭무럭 자라서 6살이 되었습니다. 그리고 사고로 아파트에서 떨어졌습니다. 뉴스에 나오자 그녀를 욕하는 사람들이 악플을 달았습니다.

기대어 있던 아가들 셋 중에 나의 조카만. 나의 사랑하는. 나의 클레멘타인. 나는 수의가 그렇게 작은 것이 있다는 걸 몰랐습니다.

결혼한 지 5~6년이 되어도 아이 갖는 것이 그래서 무서웠습니다.

시간 지나 제 아이를 낳고 나서 새벽에 자다 깨서 아이의 코밑에 손가락을 대보고 숨을 쉬는지 확인하는 것이 나의 일과였습니다. 가슴이 오르락내리락하는 걸 꾸벅꾸벅 졸면서도 작은 아기침대에 기대서 하염없이 보고 있었습니다. 그냥 무서웠습니다. 사랑해주기 바빠야 하는데 이 아이의 생존 여부가 더 급선무였습니다. 얼마나 제가 초라한 사람인지 이제 아시겠습니까? 이제 조카의 생일이 다가옵니다. 나는 죄책감에 숨이 막혀옵니다.

그 아이가 죽기 전날은 술을 진탕 마셨습니다. 숙취에 울리는 골을 붙잡고 단내 나는 땀이나 줄줄 흘리고 있었습니다. 정신을 차려보니 부재중이 스무 통 넘게 남아있었습니다.

셋째 형제가 절반, 형부가 절반 정도 비율로 전화가 왔습니다. 어머니 때문에 전화기 소리만 들으면 불안합니다. 걸려 온 전화가 기쁜 소식 인적은 평생에 단 하나도 없었습니다.

그녀에게 전화를 했는데 남편이 받았습니다. 놀라지 말고 들으라며 조카가 많이 아파서 병원에 왔다고. 얼굴 한 번 보고 가라는 이야기였습니다.

아픈데 얼굴 보고 가라니, 무슨 소리냐며 되물었지만, 그는 전화 너머로도 바짝 마른 갈라진 목소리로 있다가 보자고 말하면서 전화를 급히 끊어버렸습니다.

심상치 않은 이야기였습니다. 나는 전화기와 교통카드만 얼른 챙겨가지고 집에서 입는 땀 자국에 목이 누레진 티셔츠를 그냥 입고 출발했습니다. 도착해서 전화를 걸자 이번엔 언니가 받았습니다. 나를 병원으로 오라고 해놓고 보자고 한 장소는 장례식장이었습니다.

아무 생각이 들지 않았습니다. 슬프거나, 분노가 치밀어 오른다거나. 그런 드라마틱한 감정들이 아니었습니다. 세상에서 이 감정은 단어가 없습니다. 조카를 잃었습니다.

조카를 잃은 기분.

표현할 단어는 아무것도 없었습니다.

정신없이 객들이 몰아쳤습니다. 하나같이 뜨거운 솥에 넣은 조개들처럼 입구에서 입을 열었는데 아무 말도 없었습니다. 그리고는 다시 입을 꾹 다무는 것이 똑같아서 그것이 퍽이나 신기하다고 느꼈습니다. 무슨 말을 해야 할지 다들 고르는 중이었다는 건 저도 압니다.

인사들을 끝내고 새벽이 되어서야 언니의 양말이 눈에 들어왔습니다. 발바닥이 시커멓게- 너무나도 새카맣게 보였습니다. 멍한 정신에 멀리서 지켜보다가 그녀의 남편에게

"장례식장 바닥이 더럽나 봐."

그의 눈에서 눈물이 왈칵 쏟아졌습니다. 형부는 흐느꼈습니다. 진정되고 나서야 겨우 조용히 입을 떼었는데, 그녀는 조카가 아파트에서 떨어지고 정신없이 1층으로, 조카가 있는 곳으로 뛰었다고 합니다.

신발 신을 겨를도 없이. 편의점에 담배를 사러 나간다며 새 양말을 사다가 그녀가 앉아있는 곳으로 가서 갈아 신겨주었습니다. 그녀는 아무 말 없이 눈물만 조용히 흘렸습니다.

그때 그 새카만 양말은 그냥 조카가 떠난 후에 내 형제의 마음과 같았습니다.

되돌릴 수 없는 검은색이었습니다.

여덟 번째 편지

내일은 조카의 생일입니다. 언니네를 다녀와서 편지를 남깁니다.

집 근처 꽃집에서 조카가 좋아했던 분홍색이 섞인 작은 꽃다발. 아마도 내 기억에 멈춰있는 그 작은 손. 살아있었다면 수능을 응원하기 위해서 주었을, 그런 소박한 꽃다발을 들고 형제의 집으로 향했습니다.

형제는 심란한 지, 머리가 짧아져 있었습니다. 나 왔어. 그녀의 집으로 들어갔습니다. 둘째 조카가 아직 어려 누이가 '있었다'는 사실을 모릅니다. 그녀와 방문을 닫고 조용히 속닥거렸습니다. 언니는 장롱에서 고급스러운 보자기로 예쁘게 쌓인 그 아이를 꺼냈습니다.

원래 사돈댁 외가 선산에 묻혀있었는데, 외손주가 묻혀있는 것이 '도리'에 어긋난다고 하여. '도리' 그 역겨운 것이 6살짜리를 묻은 무덤을 부모가 다시 파헤치게 하는 것이.

어느 지역에 가면 뼈를 보석으로 만들어준다고 합니다. 그녀는 "내 새끼를 내 집으로 데려가면 안 되는 거야? 그게 그렇게 이상해?"라고 하면서 데리고 왔습니다. 아, 아니, 이상한 건 우리 집 구석 꼬라지야. 내가 열어도 돼? 나는 그녀에게 물었습니다.

"당연하지."

자갈돌. 색깔이 탁한데 약품 같은 걸 더 섞으면 예쁜 색이 나온다고 했지만 저도 그건 싫었습니다. 이것도 예뻐. 눈이 뜨끈해졌습니다.

제가 뭘 잘했다고 울겠습니까? 그냥 고개 돌려서 잠시 진정하고 호흡합니다.

저는 이맘때쯤이면 제 아이의 이름과 조카의 이름을 뒤바꾸어 불러서 남편이 정신을 차리라 합니다. 저는 조금 미쳐가고 있습니다. 사실은 많이. 시간이 전부 해결해 준다고 하지만 해결해 주지 못하는 것도 있습니다. 이것은 고여서 썩어들어갈 뿐입니다. 오늘은 날씨가 맑아서 다행입니다. 행복한 날이야. 네.

날씨가 좋아서 다행입니다.

마지막 편지

저번 편지 이후로 뜸했습니다. 우울하면 몸살처럼 온몸이 아파 옵니다. 편지를 쓸 힘도 없었습니다. 사실 씻지도 않았습니다.

마음은 영락의 계절에 빠져들어 시들어갔습니다. 제 세월들을 피폐하고 녹슬고, 천박한 단어들로 써서 남기려다가 몇 장을 찢었는지 모르겠습니다.

과거라는 늪의 흙탕물이 귀와 눈으로 흘러들어 과거의 광기에 휩쓸리고 있던 나날이 지속되었습니다. 그런 와중에 연락을 받았습니다. 제가 글을 써주길 바라는 친구가 있습니다. 그 친구가 제게, 행복을 바란다는 연락을 했습니다.

갑자기 긍정적인 기운이 솟아나는 기적이 나타나진 않았습니다. 적어도 이 늪에서 기어나가 보자는 생각만 했습니다. 내내 바람이 정면으로 불어 역풍을 받아 사정없이 흔들리는 낡고 초라한 종이배에 타고 있는 것 같습니다.

무섭습니다. 사실 편지들을 적으며 나는 어떻게 하면 숨이 끊어질까 고민하던 나날을 보냈습니다. 오늘의 나는 이 편지를 마지막으로 현재를 살아나가자는 생각을 했습니다.

이제 여기에 편지를 남기지 않으려 합니다. 대신 제 소원은 사랑하는 사람들보다 먼저 죽어서 글자로 남는 겁니다. 걱정하지 마세요. 되도록 오래 살 겁니다.

육신은 나무 아래 묻히고 싶습니다. 그 나무가 벼락 맞아 쓰러져도 좋고 벌레들에게 먹혀도 좋습니다. 그 또한 자연의 뜻 아니겠습니까. 한 줌 재로 남을 나를 항아리에 나를 가두지 말고, 썩는 내 육신을 묻어 땅을 차지하게 하지 말아 주기를. 물에 뿌려도 좋으나 저는 자유롭고 싶은 게 아닙니다.

나는 아름답지 않으니 구슬로 뭉쳐 보석을 만들지 말고. 누군가에게 그늘이 되어주고 사계를 알려주고 싶습니다. 운이 좋아 세월 흘러서도 살아남는 고목이 된다면 몸통에 녹색 옷을 입고 싶습니다. 머리엔 새 둥지, 가슴엔 다람쥐, 다리엔 뱀을 품고요.

모순된 저는 누군가가 찾아오기를 기다리고 싶습니다.

그럼 안녕히.

저는 행복할 거예요. 당신도 그러하길 바랍니다.

꿈, 개

이 쯤에 마무리 인사를 하지만

보통 에필로그를 넣는 자리지만 뻔한 인사대신에 책에서 빠져나가는 출구를 넣기로 했다. 내 개꿈들을 기록한 이야기다. 나는 가을엔 꿈을 심하게 꾼다. 슬픈 날짜가 있다. 그래서인지 꿈을 꾼다. 이유는 모른다. 저녁에 쪽잠이 들었다. 이번엔 고양이가 되어 있었다.

아마도 한글날이 지날 때까지 쭈욱 이 상태일 것이다.

늘 그랬다.

젖은 풀숲을 지나 산책을 하는 그 사람을 발견했다. 발바닥에 닿는 풀의 느낌이 생경했다.

공원에서 사람이 한 명 앉아 있었다. 넓고 탁 트인 이 장소에서 당신 혼자만이 가막소에 갇힌 표정이었다. 무슨 일이 있나요? 라고 했는데 '웨에옹' 하는 소리만이 나왔다. 나를 무서워하는 것처럼 보였다. 뒤로 한 발짝 물러났다. 나도 모르게 엉덩이가 올라갔다. 어떻게 내리는 거지? 꼬리도 올라갔는데 내려오질 않는다. 영- 히딱하네. 생각한다.

당신은 내 바보 같음을 구경하고 있었다. 뜬금없이 손이 간지러워 핥았다. 당신은 더 영문모를 표정으로 바뀌더니 어디론가 뛰어갔다. 아아- 놓쳤네. 이게 아닌데, 하면서도 나도 모르게 무아지경으로 앞발을 핥고 있었다. 예민한 귀에 누군가의 발소리가 들렸다. 온몸에 털이 쭈뼛 서는 느낌이 들었다. 당신이었다. 손에 생수병과 소시지가 있었다. 그것을 노나 먹다 잠이 깨었다.

청소기도 돌렸고, 바닥도 새로 산 밀대로 닦았다. 설거지도 해 두었다. 몽롱해진 끔뻑 졸았다. 꿈속에서 나는 아침의 산에 가 있었다. 행복했다. 산 위에서 개 한 마리가 뛰어노는 꿈이었다. 개-꿈. 마음이 편안했다.

일어난 나는 아가가 낮잠 자기 싫다고 떼를 쓰다가 찔끔 게워 낸 이불도 세탁해 두었다. 땀을 뻘뻘 흘리는 아이를 위해 다시 시원한 이불로 바꿔주었다.

자장자장. 차를 한잔하는데 이유 없이 기분이 가라앉는다, 오늘 도서관에 아침에 다녀왔는데 일부러 다 읽은 책을 반납하러 한 번 더 갈까? 고민한다.

──── ✎ ────

이번 꿈은 식탁에 앉아있었다. 신문지를 펴고는 갑자기 손톱에 발라둔 매니큐어를 다른 손톱으로 벗겨냈다. 아니- 아세톤을 두고 왜. 오늘은 몸이 내 마음대로 움직여지지 않는다.

발밑에 강아지가 와서 비빈다. 작네? 귀여워. 쓰다듬고 싶은데 나는 손톱에서 손을 뗄 수가 없다. 젤네일과는 다르게 이것이 바스러지고 으깨지듯 겨우겨우 떨어져 나간다. 지저분하게 벗겨진 손을 가만히 들여다보았다. 반대편 손으로 계속 쓱싹쓱싹 긁어낸다. 아세톤을 두고 왜. 같은 생각을 반복한다.

지루해서 일어나고 싶다. 감각도 없는 꿈은 그냥 피곤하기만 한 꿈이다. 움직여지면 어디 들이받아서 깨는 편인데 안 움직여지면 힘들다.

발아래의 강아지가 앉아서 꼬리로 바닥을 쓸듯이 흔들더니 눈치를 보았다. 왕! 짖었다. 놀랐다. 깨어나고 나서 생각하니 유일하게 꿈에서 눈을 마주칠 수 있는 건 그 개뿐이었다. 녀석 덕분에 꿈인 것도 바로바로 눈치채고, 좋았다. 또 나오면 고맙다고 해야지.

계속 떨어진다. 욕이 절로 나왔다. 이 꿈은 금방 깰 것이다. 고소공포증이 있어서 버텨낼 수가 없다. 주변에 뭐라도 보이면 들이받아서 그냥 깨버릴 거 같은데. 그 정도로 싫어하는. 아무것도 없다. 얼마나 떨어진 건지 빛도 점으로 보인다. 진짜 싫었다. 예상대로 팔다리가 푸드덕하면서 깨어났다. 손을 가슴에 얹어보니 심장이 벌렁거렸다. 요즘 너무 피곤하다.

담당 선생님께 말씀드렸을 때는 잘하고 계세요. 하고 칭찬만 해주셔서 내가 잘하고 있는 게 맞나 이럴 때는 의구심이 든다.

선생님은 제가 앞구르기만 해도 잘한다고 해주실 거잖아요.

오늘은 추분. 밤이 길어 다행이다. 자기 전에 호흡을 길게 하는 영상을 보고 잤는데 만삭이었던 시절이 꿈에 나왔다. 남편이 출장을 엄청 다녔던 시절이었고, 매운 걸 원래 못 먹는데 임신하고 엄청나게 먹었다. 불닭이 먹고 싶어진 나는 옆 가게에서 시켰는데 오픈 시간을 기다렸다가 6시 5분에 전화를 했더니 누가 가게 열자마자 음식을 시키냐며 면박을 줘서 서러웠다. 그래도 너무 먹고 싶어서 자존심도 버리고 그냥 가져다 먹었는데 울면서 먹는 그런 꿈을 꾸었다.

숨쉬기가 힘들어서 호흡을 길게 하던 시절이라. 그래서 꿈에 나왔나 보다. 일어나서도 약간 서러웠다.

검색해보니 그 가게가 망해버려서 기분이 좀 나아졌다.

노쇠한 노숙자였다. 가슴께를 툭툭 더듬어보니 남자였다. 그 동작 하나만으로도 지린내가 올라와서 참을 수가 없었다. 다리 아래 박스와 옷가지들로 엉성히 만들어 놓은 집에서 기어 나와 개천물을 보니 팥색이었다. 세수를 해? 말어? 물을 양손으로 떠보니 냄새는 나지 않아서 얼굴을 문지르는데 주름 잡힌 손과 얼굴이 부다끼는 느낌, 가칫가칫한 수염.

일단은 몸이 아팠다. 덥고 춥고. 모든 노인들은 이런가? 눈이 침침한데 그 와중에 날씨가 좋아 보여서 그늘 밖으로 나가고 싶었다. 한 번씩 들려오는 자동차가 지나가는 소리가 굉장히 울려서 불쾌했다. 그늘을 경계선으로 아직 밖에 나간 것도 아닌데 눈이 아릴 정도로 부셨다.

저 멀리 더미 구름이 보인다. 눈이 적응될 때까지 털썩 주저앉았다가 이 정도면 괜찮겠지 하고 엉금엉금 기어서 볕 아래로 나왔는데 뱀파이어처럼 살이 따갑다.

무언가 메둘메둘거려서 고개를 들어 다리를 쳐다보니 담쟁이였다.

주렴처럼 늘어져서 바람에 흔들리고 있었다.

나는 저 개의 이름을 지어주고 싶었다. 꿈에서는 이런 생각이 안 난다. 아닌가? 내가 의미를 정하는 순간 정이 들것이다.

허상한테 정을 주는 것이 얼마나 슬플까.

오늘은 차임스에서 푹신한 빈백에 누워 샹들리에처럼 늘어진 나무를 구경하다 깨었다. 차임스에 버드나무가 왜 있어. 혼자 웃었는데, 내가 어제 대구 가는 사람들의 안전을 걱정하다 잠들어서인가? 여하튼 개는 내 옆에 와서 길게 엎드려 잤다. 심리상태가 개로 나오나? 행복한 꿈이었다.

총은 정말 내가 생각한 거보다 차갑고 무거웠다. 손이 덜덜 떨리는데 그 와중에 무거워서 몇 배로 무서웠다.

올해 꿈을 시작할 때는 엽총 들고 뛰어가서 나를 쐈는데, 그건 감각이 둔한 데다 내가 움직여지지도 않아서 그냥 드라마나 영화 구경하는 느낌이었다면 지금은 숨을 쉬는데 먼지까지 느껴져서 무서웠다. 평소 내 시력이 아니라 더 또렷하게 보여서 일지도 모른다.

밖에서는 문을 열라고 소리치고 창문으로 보니 1층에도 사람이 모여있다. 이유는 모르겠지만 내가 여기서 나 자신을 쏘지 않으면 안 끝나는 꿈같았다. 이거 몇 발 쏠 수 있는 거지, 들어오는 놈부

터 쏘면 안 되는 건가? 총으로 위협하고 나가는 건 안 되나,

이 몸 주인은 대체 뭘 했나. 이거 한 방에 안 끝내면 안 되겠는데. 무서우니까 일단 딴 데다 쏴보자.

덜덜 떨리는 손을 주먹을 쥐었다 폈다 하며 진정시키고 시계를 조준하고 쐈다. 소리가 너무 커서 1차로 놀랐다. 진짜 이래? 내 몸이 누가 밀친 것처럼 뒤로 넘어갔고, 그 생각을 인식하자마자 오른손 엄지손가락이 타들어가는 기분이었다.

총이 고장 났었나? 아파. 욕을 마구 하면서 아파. 아프다. 너무 아파. 깨워줘. 왜 안 깨는 거야. 배운 욕이란 욕은 다 했던 것 같다.

다행히 내가 끝을 내기 전에 일어났다.

엄청 화려하네. 다들 가면을 쓰고 머리에는 깃털이 꽂힌 모자를 쓰고 한 쪽 방향으로 흘러가고 있었다. 외모를 보고 싶어서 거울을 찾는데 가게로 들어가긴 그른 것 같다. 사람이 너무 많다 못해 빠글빠글하다는 표현이 맞았다. 내가 걸으려고 자리를 터가며 앞으로 나아갔다.

누가 내 손을 잡고 당기더니 그 자리 주변 사람들이 다 같이 빙글빙글 돌았다. 아! 제발 이러지 마세요.

빙글빙글 도는데 치마가 하얀색과 빨간색이 격자무늬로 섞인 패턴이었다. 나는 초록색이 좋은데. 꿈에서는 몸이 가볍게 잘 움직여져서 사람들을 얼추 따라서 했다. 현실에서는 몸치 박치여서 분위기를 조졌을 거다.

가면이 답답해서 벗고 싶은데, 예전에 모자를 벗었더니 사람들이 우르르 쫓아와서 끌려가는 꿈을 꾼 적이 있어서 뭔 일 날까 봐 벗지 않았다. 내가 예민해지는 이유가 1년 중 가장 아름다운 계절에 이렇게 나를 갉아먹는 꿈을 꿔서는 아닐까 잡생각을 했다.

누군가가 병째로 준 와인을 마시고 깨어났다.

---- ✑ ----

어두워서 움직이기 싫어 가만히 있었다. 저 개. 며칠 내내 꿈에서 계속 나온다. 꼬리가 프로펠러처럼 파닥파닥. 아 귀여워. 가까이 오라 하여도 안 온다.

한 가지 좋은 건 이제 저 녀석이 보이면 꿈이라는 거다. 간결하게 적으려고 노력하기에 안 적었지만 꿈이라는 걸 자각하기까지 시간이 좀 걸린다. 말도 안 되는 걸 하나 보고 나서야 꿈이구나 하는 것이다. 애초에 말이 안 되는 꿈은 바로 눈치채고.

고양이가 되는, 한 번도 가본 적 없는 가면 축제, 흑백 세상, 낙하하는. 그런 의미에서 그때 고장 난 총꿈은 최악이었다.

개를 멍하게 보는데 웍! 하고 짖는 소리에 놀랐다. 너 목청 좋구나! 골든이랑 섞인 거 같은데. 만져보려고 가까이 다가가니 도망간다. 가만히 앉아서 깨기를 기다릴 수도 없고. 설렁설렁 따라갔다. 터널을 지나니 강이 나왔다. 어렸을 때 와본 거 같은데, 청도를 자주 갔었다. 물 위에 부표 같은 것이 떠있었다.

물이 깨끗해서 돌들이 선명하게 보였다. 저 하얀 것만이 거슬렸다. 첨벙첨벙하고 들어가서는 그 거슬리는 하얀 것 근처까지 발 닿는 곳은 걸어가고 조금 뜨는 곳은 점프하듯 갔다. 바람 들어간 셔츠. 뭐야- 잡아서 끌고 오는데 느낌이 이상했다. 발 닿자마자 바로 들어 올렸더니 아기였다.

순간 놀라서 떨어뜨릴 뻔했지만 꿈에서도 아가를 제대로 고쳐 안았다. 아기의 얼굴은 안 보이지만 웃음소리가 들렸다. 어이없어. 너 괜찮니? 물었는데 아가를 보니 이제 목을 가누기 시작한 것 같았다. 돌도 안 지났겠는데, 엄마는 어디 있니, 아가.

자갈이 시끄럽게 부딪히는 소리가 멀리서 들렸다. 발소리. 여러 명이 뛰어오는 게 보였다. 아가의 가족 같았다. 손을 흔들어서 여기 있다는 표시를 해주니 아가의 엄마 같은 사람이 뛰어오는 걸 보다가 잠이 깨었다.

저녁이 되어 잠자리에 들고 또 꿈을 꾸었다. 자기 전에 생각한 것이 꿈에 영향을 꽤나 미치는구나. 조금 신기할 정도였다. 이 정도면 내가 원하는 꿈도 잘하면 조절 가능하지 않나 싶었다. 왜 그토록 좋아하는 버스를 안 타고 1호선을 탔는지는 모르겠다. 아무도 없는 지하철이라니. 앉아서 편지를 쓰고 있었다.

성당의 신부에게 고해성사하듯 별 이야기를 다 적은 것 같다. 수신인이 누군지도 모른다. 내용이 워낙 이상했다. 원래 글 쓰는 속도가 느린데 꿈이라서 가능한건지 빠른 속도로 편지를 몇 장이나 썼다.

새벽 찬바람에 현실의 몸이 추워서 떨릴 때까지 종이에 자신의 이야기를 써 내려가다 깨어났다. 수신인 없는 편지. 현실에서는 지금의 계절에게 쓸 수 있으니 얼마나 좋은가. 몸도 개운했다. 뛰러

나가야지. 언제나처럼 영양제를 먹고 집을 나섰다.

———— *6* ————

친구 A의 친구가 작가 K인데, 내가 그녀의 팬이라 그녀가 사는 섬에 찾아가는 꿈이었다. 그림도 함께 그리시는 분이라 거주하시는 곳에 그림을 걸어두셨다. 그림에는 작가분 친구들 이름들이 상형문자로 적혀있었다. 직원으로 보이는 B가 내게 물었다. 여기에서 어떤 글자가 보여요? 곧장 이 작가가 거주하는 곳을 알려준 친구 A의 이름을 읽었다. B가 웃었다.

배를 타고 집으로 향하기 위해 나오려는데 B가 배가 끊겼다며 웃었다. 당황했지만 그녀가 농담이었다며 배를 타고 육지로 나가면 된다고 하였다. 그리고 B가 사실은 자신이 작가 K라고 말해주었다.

K와 우리는 배를 타고 다시 육지로 향했다. 우리가 간 곳이 강이었던 건지 조그마한 선착장이 얼어있었다. 바닥을 딛는데 불안하게 금이갔다. 나는 얼른 뛰어가서 땅을 밟았는데 일행 세 명이 물에 빠졌다. 일행 C는 다른 일행들이 건져주었고 일행 D와 일행 E는 내가 손을 잡아주었다.

일행 E의 손을 잡아서 당기고 나자 물속에서 참다랑어가 얼굴을 내밀었다. 너무 놀라서 뒤로 넘어졌다. 선착장의 어부는 여기에 사는 참다랑어들은 사람을 너무 좋아한다고 했다. 우리는 육지에서 흩어져서 각자 집으로 갔다가 다음날 다시 그 섬으로 가기 위해 모였다.

이번엔 내가 배를 타려는데 내 앞에서 참다랑어가 얼음을 깨고 머리를 또 내밀고는 '아-'하고 가만히 있었다. 뒤로 털푸덕 넘어졌다. 무서워서 가만히 있는데 어부 아저씨가 괜찮으니 눈앞의 커다란 낚시찌를 참다랑어의 입안에 걸어보라 했다.

원래 깊숙이 한 번에 걸어서 배에 걸쳤어야 했는데, 처음 걸어본 나는 얕고 위에 잘못 걸어서 참다랑어의 입천장이 긁히기만 했다. 어부는 계속 내게 참다랑어를 걸으라고 했고, 다섯 번이나 잘못 걸어서 입천장에 해진 참다랑어가 나는 슬펐다.

미안하다고 제발 가라고 그의 얼굴을 얼음 아래로 밀어 넣었다. 어부아저씨는 상황을 지켜보더니 자신이 그냥 참다랑어를 배에 걸어주었다. 일행들은 전부 참다랑어 머리를 한 번씩 걸어보고는 다시 섬으로 향했다. 일행은 저렇게 참다랑어를 잡는데 버려지는 것이 더 많다고 했다.

나는 참치에 관한 글을 다시는 적지 않기로 다짐하며 꿈에서 깨어났다.

천국보다 더 위에

꿈을 꾸었다. 천국을 상상해 본 적이 없다. 저번에 친구가 허구한날 쓰는 지옥 말고 천국을 상상해 보는 게 어떠냐고 물었다. 그래서인지 꿈에 나왔다. 천국은 별것 아니었다. 하지만 겪고 나니 천국임을 확신할 수 있었다.

마중 나온 천국의 공무원은 내 취향의 아름다운 갈색 눈동자를 한 천사였다. 그 천사는 친절히 말한다. 마중이라고 나왔지만 이제부터가 천국이에요. 지옥이 '지옥하다'라는 동사라면 천국은 시점을 의미하는 동사가 아닐까?

천사와 나는 걷는다. 길을 잘못 든 것 같지만 그냥 걷는다. 예쁘게 생겨서 같이 걷는 것만으로도 기분이 좋았다. 점심으로 내가 좋아하는 샐러드를 먹고 싶다고 말한다.

그녀는 단호박탕후루가 있는 샐러드 가게로 왔다. 버섯을 카라멜라이징해서 볶은 맛있는 샐러드 가게에서 배부르게 식사를 하는데, 다른 천사들이 문을 열다가 내 의자를 쳤다. 나는 놀랐지만 앞에 안내원이 친절하게 자리를 옮겨줘서 하나도 기분이 나쁘지 않았다.

그녀와 수다를 떨다가 생각나서 고백을 하나 했다. 죽기 전에 요리에 관련된 예전 일화를 말한다. 나는 요리를 좋아했는데 내 요리는 가짜요리라고 남편이 말했어요. 그 뒤로 나는 음식을 하지 않았어요. 천사는 가만히 내 이야기를 들어주기만 했다. 응어리를 털어놓고 나니 사라진다. 이렇게 천사에게 말하고 나면 마음이 편해지니 천국인건가? 식사를 마친 그녀는 아지트를 소개해주겠다며 움직인다. 드레스라는 곳이었다. 입는 드레스 말고 숙소 이름이 드레스였다. 내가 한복을 좋아해서 이런 이름인가? 아니면 스레드를 거꾸로 한 건가. 푸하하 웃었다. 그녀는 숙소에 도착해서 친구를 소개해주었다. 이쪽은 토마스예요. 이 친구는 섹시하게 생겼다. 소개해준 천사에게 고마웠다. 천국이 맞구나.

내가 배정받은 숙소의 호실은 605호다. 그녀는 나를 토닥토닥 재워주며 끌어안았다. 여기서는 어머니를 잊을 수 있었다. 아무도 내게 고통을 주지 않았다.

천사의 품은 조금 더웠지만, 행복했다. 씻고 나왔더니 안내원 천사가 머리를 말려주며 말한다. 천국에서는 끼니를 잘 먹어야 해요. 나는 천사에게 고마워서 저녁을 사기로 한다.

훈제연어초밥을 사주었더니 안내원 천사가 기뻐했다. 천국에서는 서비스로 나온 가락국수조차도 맛있었다. 지나가는데 길가에 양귀비가 보였다. 천사는 무심하게 꽃을 보았다. 내가 말했다. 이건 양귀비예요. 예쁘죠? 하고 물었더니 양귀비는 처음 본다며 놀란다. 천사가 모르는 것도 있구나. 언젠가 떠올렸던 지옥이 생각난다. 그럴 수 있다.

그녀는 천국에서도 당신이 좋아하는 문화나 공연을 즐길 수 있다며 보러 가겠냐고 한다. 그리고 연구소로 갔다. 커피를 연구하는 곳까지 있다니. 아름다운 곳이다. 나는 당장에 구름이 올라간 꼰파

냐를 고르려다가, 천사가 추천하는 대로 먹기로 했다.

천국에서는 에스프레소가 나올 때 다크초콜릿과 귀여운 설탕병이 함께 나온다. 이 설탕병은 어렸을 때 엄마가 아껴먹으라던 딸기잼병의 미니어처처럼 생겼다.

너무 귀여웠다. 에스프레소를 마신 그녀는 날개가 파닥거리며 눈이 황금빛으로 변했다. 정말 너무 예뻤다. 천국은 예쁜 천사가 있어서 천국일지도 몰라.

이제 공연 시간이 되었다며 그녀는 나를 이끌었다. 반짝거리는 황금빛 악기를 쥔 천사들이 무대 위에서 연주를 하는 곳이었다. 피아노를 치는 천사가 단장이라고 했다.

그들은 각자 개성대로 연주하는데도 화음이 되었다. 천국의 음악은 이렇구나. 전자기타가 고장이 났는데도 그들은 즉석에서 소프라노 색소폰이 대체해서 연주를 시작했다.

트럼펫이 나는 그렇게 멋진 악기인지 몰랐다. 꿈인데도 나는 비올라를 찾았다. 평소에 관심이 없던 악기였는데, 죽기 전에 친구가 배웠던 그 악기가 궁금했다. 내가 생각한 것보다 비올라는 엄청나게 바빴다. 심지어 단발머리의 연주자였다. 나는 푸하하 하고 웃었다.

연주자들의 머리 위로 오로라가 흔들렸다. 푸른색에 초록색이 섞여서 몽환적이었다. 관악기들이 독주를 펼치자 핀조명이 그들을 주인공처럼 비추었다.

아. 죽기를 잘했다. 천국의 꿈은 행복했다.